어떤 선택의 재검토

The Bomber Mafia
by Malcolm Gladwell

Copyright © 2021 by Malcolm Gladwell
Korean translation copyright © 2022 by Gimm-Young Publishers, Inc.
All rights reserved

This edition published by arrangement with Little, Brown and Company, New
York, New York, USA through EYA co., Ltd. Seoul, Republic of Korea.

어떤 선택의 재검토

1판 1쇄 발행 2022. 4. 22.
1판 2쇄 발행 2022. 5. 26.

지은이 말콤 글래드웰
옮긴이 이영래

발행인 고세규
편집 고정용 | 디자인 윤석진 | 마케팅 백미숙 | 홍보 이한솔
발행처 김영사
등록 1979년 5월 17일(제406-2003-036호)
주소 경기도 파주시 문발로 197(문발동) 우편번호 10881
전화 마케팅부 031)955-3100, 편집부 031)955-3200, 팩스 031)955-3111

값은 뒤표지에 있습니다.
ISBN 978-89-349-6164-2 03900

홈페이지 www.gimmyoung.com   블로그 blog.naver.com/gybook
인스타그램 instagram.com/gimmyoung   이메일 bestbook@gimmyoung.com

좋은 독자가 좋은 책을 만듭니다.
김영사는 독자 여러분의 의견에 항상 귀 기울이고 있습니다.

THE
BOMBER
MAFIA

어떤 선택의 재검토

최상을 꿈꾸던 일은 어떻게 최악이 되었는가

말콤 글래드웰

이영래 옮김

MALCOLM
GLADWELL

김영사

차례

1부   꿈 DREAM

2부 유혹 TEMPTATION

일러두기

1. 옮긴이 주는 [ ] 안에 별도로 표기했다.
2. 거리, 높이, 무게, 속도 등을 나타내는 단위(인치, 피트, 야드, 마일 등)는 독자의 이
   해를 돕기 위해 미터, 그램 등으로 환산해 표기했다.
3. 신문, 잡지, 영화, 그림, 팟캐스트, 노래 등은 〈 〉, 단행본 등 저서는 《 》로 묶
   었다.

들어가는 말
어떤 집착에 대한 이야기

어린 시절 잠자리에 누운 내 아버지는 비행기 소리를 듣곤 했다. 영국으로 들어오는 독일 비행기들이었다. 그들은 깊은 밤이면 다시 독일로 날아갔다. 런던에서 동남쪽으로 몇 마일 떨어진 켄트Kent 지방에서 벌어진 일이다. 아버지는 1934년에 태어났다. 그건 제2차 세계대전이 발발했을 때 아버지가 다섯 살이었다는 뜻이다. 켄트는 영국의 폭탄 골목Bomb Alley으로 불렸다. 독일 군용기들이 런던으로 향하며 지나는 지역이었기 때문이다.

당시에는 폭격기가 표적을 놓쳤거나 남은 폭탄이 있을 경우 돌아오는 길에 아무 곳에나 폭탄을 떨어뜨리는 것이 드문 일이 아니었다. 하루는 길을 잃은 폭탄이 할아버지 댁 뒷마당에 떨어졌다. 폭발은 일어나지 않았다. 폭탄은 그저 땅에 반쯤 박힌 채였다. 기계에 관심 있는 다섯 살짜리 꼬마 아이에게 제집 뒷마당에 떨어진 독일군의 불발탄은 상상할 수 있는 가장 대단한 경험이었을 것이다.

아버지는 상황을 그런 식으로 묘사하지 않았다. 아버지는 수학자였다. 그리고 영국인이었다. 그 말은, 감정적인 언어는 그의 모국어가 아니라는 의미이다. 감정을 담은 말은 그에게 라틴어나 프랑스어와 마찬가지였다. 공부하고 이해할 수는 있지만 절대 완벽하게 공감하고 구사할 수는 없는 언어인 것이다. 뒷마당에 떨어진 독일군의 불발탄이 다섯 살짜리 아이가 상상할 수 있는 가장 대단한 경험이라는 것은 다섯 살 때 아버지로부터 그 폭탄 이야기를 듣고 내가 한 해석이다.

1960년대 후반, 우리는 그때 영국 사우샘프턴에 살았다. 영국에는 그 나라가 어떤 일을 겪었는지 상기시켜주는 것들이 아직까지 도처에 널려 있다. 런던에 가면 지금도 어디에 폭탄이 떨어졌었는지 구분할 수 있다. 수백 년 된 블록 여기저기에 무자비하게 들어선 흉물스러운 현대식 건물들이 눈에 띄기 때문이다.

우리 집에는 항상 BBC 라디오 방송이 켜져 있었다. 그즈음에는 전쟁에 참여한 장성이나 낙하산 부대원, 포로와의 인터뷰가 초 단위로 이어지는 것 같았다. 내가 어릴 때 처음 쓴 짧은 글은 히틀러가 여전히 살아 있고, 다시 영국에 쳐들어올 것이란 내용이었다. 나는 그 글을 할머니께 보내드렸다. 그렇다. 뒷마당에 불발탄이 떨어졌던 켄트의 할머니께 말이다. 어머니는 내 이야기를 듣더니 전쟁을 겪은 사람은 히틀러가 돌아온다는 줄거리를 그다지 반기지 않을 것이라며 나를 타일렀다.

아버지가 나와 형제들을 영국해협이 보이는 해변으로 데려간

적이 있었다. 우리는 제2차 세계대전 요새의 잔재들 사이를 기어 다녔다. 낡은 총알이나 포탄 탄피, 해안으로 밀려온 독일 스파이의 해골을 발견하지는 않을까 생각하면서 느꼈던 흥분이 아직도 잊히지 않는다.

우리가 어린 시절의 흥미와 관심을 다 잃고 사는 건 아니라고 생각한다. 적어도 나는 아니다. 나는 스파이라는 단어가 들어간 소설이라면 모조리 읽었다는 농담을 하곤 한다. 몇 년 전 어느 날 책장을 살피다가 놀라운 사실을 깨달았다. 내가 전쟁을 다룬 논픽션 서적을 엄청나게 많이 모아두었다는 걸 알아차린 것이다. 역사를 다룬 유명한 베스트셀러는 물론이고 특수한 역사적 문제를 연구한 책, 절판된 자서전, 학술서까지. 그 책들 대부분은 전쟁의 한 측면을 다루고 있었다. 무엇일지 짐작이 가는가? '폭격'이다. 스티븐 부디안스키 Stephen Budiansky의 《공군력 Air Power》, 타미 데이비스 비들 Tami Davis Biddle의 《항공전의 수사학과 실제 Rhetoric and Reality in Air Warfare》, 토머스 M. 코피 Thomas M. Coffey의 《슈바인푸르트에 대한 결정 Decision over Schweinfurt》 등 폭격을 다룬 역사서들이 책장을 가득 메우고 있었다.●

보통 내가 이런 식으로 책을 모으는 것은 그 주제에 대해 뭔가를 쓰고 싶기 때문이다. 내 서가에는 사회심리학에 대한 책이 잔뜩 꽂혀 있다. 사회심리학에 대한 글을 써서 밥벌이를 하고 있기 때

● 한 권만 더 예를 들어볼까? 로버타 월스테터 Roberta Wohlsteter의 《진주만: 경고와 결정 Pearl Harbor: Warning and Decision》을 읽어보았는가? 아니라면 당신은 정말 재미있는 책을 놓친 것이다.

문이다. 하지만 나는 전쟁에 대한, 특히 제2차 세계대전, 더 구체적으로 공군력에 대한 글은 거의 쓰지 않았다. 이곳저곳에서 조금씩 언급하고 말았을 뿐이다.[•] 왜일까? 모르겠다. 프로이트파 정신분석학자라면 이 질문에 꽤나 흥미를 느끼지 않을까? 간단하게 답하자면, 어떤 주제가 큰 의미를 가질수록 그에 대해서 이야기하고 싶은 스토리를 찾는 것이 더 어려워진다. 기준이 높아지는 것이다. 이렇게 해서 당신이 지금 손에 들고 있는 책《어떤 선택의 재검토The Bomber Mafia》가 탄생했다. 이 책을 통해서 집착할 만한 가치 있는 스토리를 발견하게 되어 기쁘다.

마지막으로 하나 더 이야기할 것이 있다. 이 마지막 단어, 즉 '집착'이라는 단어의 사용에 대한 이야기이다. 이 책은 내 집착의 산물이다. 하지만 이것은 다른 사람들의 집착, 20세기의 가장 원대한 집착에 대한 스토리이기도 하다. 수년간 글을 써왔거나 탐구해온 것들을 보면 내가 계속해서 집착하는 대상에 이끌리고 있다는 것을 깨닫게 된다. 나는 그것들을 좋아한다. 나는 일상을 이루는 모든 걱정과 세부적인 사항을 치워버리고 자신의 상상력에 딱 맞는 하나에 관심을 집중할 수 있는 사람들이 있다는 것이 무척 마음에 든다. 집착은 때로 길을 잃게 만든다. 큰 그림을 보지 못하게 한다. 그렇다면 세상의 관심사만 돌보고 자신의 좁은 관심사는 외면해야

[•] 공군력은 내가 나의 팟캐스트 〈수정주의자의 역사Revisionist History〉의 여러 에피소드(시즌 5의 '사이공 1965 Saigon 1965' '총리와 교수The Prime Minister and the Prof' '폭격기 마피아The Bomber Mafia'로 시작하는 시리즈 등)에서 탐구해온 주제이다.

할까? 그렇지 않다. 나는 집착 없이는 진보도, 혁신도, 즐거움도, 아름다움도 얻을 수 없다고 생각한다.

이 책을 쓰고 있을 때, 당시 미 공군 참모총장이던 데이비드 골드페인David Goldfein과 저녁 식사를 하게 되었다. 장소는 워싱턴 D.C.에서 포토맥강을 사이에 두고 바로 건너 버지니아 북부에 있는 합동기지 마이어-헨더슨 홀Myer-Henderson Hall 내의 에어하우스Air House였다. 많은 미국 고위 군 관계자들이 모여 살고 있는 웅장한 빅토리아풍 거리에 자리한 커다란 빅토리아식 건물이었다. 저녁 식사 후, 골드페인 장군은 그의 친구와 동료, 그러니까 다른 공군 고위 관리들을 초대했다. 다섯 명이 장군의 뒷마당에 모여 앉았다. 그들은 대부분 전직 군 조종사들이었다. 그들의 아버지들도 대개 군 조종사였다. 이 책에서 다룰 사람들의 현대 버전인 셈이다. 밤이 깊어가면서, 내 눈에 띈 것이 있었다.

에어하우스는 레이건 국립 공항Reagan National Airport 바로 아래쪽에 있다. 거의 10분에 한 번씩 머리 위로 비행기가 지나갔다. 특별할 것이 전혀 없었다. 시카고나 탬파 또는 샬럿으로 향하는 일반 상업 여객기였다. 이 비행기들이 머리 위로 날아갈 때마다 장군과 그 동료들 모두의 시선이 그 모습을 보기 위해 위쪽을 향했다. 어쩔 수 없는 집착이었다. 그들은 나와 같은 부류의 사람들이었다.

핸셀 vs. 르메이:
같은 목표, 정반대 사람

마리아나제도의 두 사람

세계에서 가장 큰 공항이 일본에서 약 2,400킬로미터 떨어진 서태평양 한가운데, 마리아나제도라고 불리는 작은 열대 열도 중 한 섬에 자리하던 때가 있었다. 괌, 사이판, 티니언. 마리아나제도는 물에 잠긴 큰 산맥의 남쪽 종단으로, 깊은 해수면에서 삐죽 올라온 화산의 끝부분이다. 마리아나제도의 섬들은 크기가 너무 작아서 그리 쓸모도 없었고, 따라서 역사 내내 세상으로부터 별 관심을 받지 못했다. 하지만 공군력의 시대가 왔고, 갑자기 이 섬들은 엄청난 요충지가 되었다.

마리아나제도는 제2차 세계대전의 대부분 동안 일본의 손에 있었다. 하지만 1944년 여름, 잔혹한 군사작전 이후 미군에게 넘어왔다. 7월 사이판이 먼저였고, 8월 티니언과 괌이 뒤를 이었다. 해병대가 상륙할 때 해군 건설대대 시비즈Seabees가 함께 들어가 작업에 착수했다.

사이판에 있는 공군기지 아이즐리필드Isely Field는 단 3개월 만에 완전 가동 준비를 갖췄다. 이후 티니언섬에는 각각 2.6킬로미터에 달하는 활주로 네 개를 보유한 세계 최대의 노스필드North Field 공항이 들어섰다. 그에 이어 괌은 극동으로 향하는 미국 공군의 관문이 되었다(현재의 앤더슨 공군기지). 이후 비행기들이 들어왔다.

로널드 레이건 미국 제40대 대통령은 당시 전쟁 영상에 해설을 입히는 일을 했는데, 그 영상 중 하나가 슈퍼포트리스Superfortress라고 알려진 B-29 폭격기의 초기 임무를 다룬 것이었다. 레이건은 이 거대한 비행기가 세상의 경탄을 자아낸다고 묘사했다.

각기 2,200마력에 달하는 네 개의 엔진을 갖추고 있습니다. 수송열차와 맞먹는 연료 적재력을 가지고 있으며 꼬리는 2층 높이로 솟아 있고 동체는 코르벳Corvette[다른 배들을 적의 공격으로부터 보호하는 소형 호위함]보다도 깁니다. 지금까지 만들어진 그 어떤 폭격기보다 더 많은 폭탄을 싣고 더 높이, 더 빠르게, 더 멀리 나르도록 고안되었습니다. 이 임무를 달성하는 것이 바로 이 비행기가 하게 될 일입니다.[1]

B-29는 전 세계의 다른 어떤 폭격기보다 빠르고 높이 날 수 있었다. 가장 중요한 것은 다른 폭격기보다 멀리 날 수 있었다는 점이다. 비행거리는 늘어났고, 마리아나제도가 손에 들어와 있었다. 이 두 가지 사실이 합쳐졌다는 것은 태평양에서 전쟁이 시작된 이

래 처음으로 미 공군이 일본 본토를 타격할 수 있는 거리 안에 있게 되었다는 의미였다. 곧 마리아나제도에 있는 폭격기 부대를 운영하기 위해 특수부대가 꾸려졌다. 젊은 준장 헤이우드 핸셀Haywood Hansell이 지휘하는 제21폭격기사령부였다.

핸셀은 1944년 가을과 겨울 내내 공격을 이어갔다. 수백 대의 B-29가 태평양 상공을 날아가 일본에 폭탄을 떨어뜨리고 마리아나제도로 되돌아왔다. 핸셀 휘하 부대원들이 도쿄로 이륙 준비를 할 때, 본토에서 날아온 기자와 카메라맨은 고국에 있는 사람들을 위해 그 흥분을 기록했다. 레이건의 해설을 다시 한번 들어보자.

사이판의 B-29는 일본의 심장을 겨냥하는 대포와 마찬가지였습니다. … 일본인들 입장에서는 나이아가라 폭포를 막으려 하는 편이 나을 것입니다. 제21폭격기사령부는 첫 번째 목표를 타격할 준비를 갖췄습니다.[2]

그러나 1945년 1월 6일, 핸셀의 지휘관 로리스 노스태드Lauris Norstad 중장이 마리아나제도에 도착했다. 괌의 상황은 아직 대단히 원시적이었다. 본부는 바다가 내려다보이는 절벽 위에 퀸셋식(반원형)으로 지은 금속 막사에 불과했다. 두 사람은 꽤나 지쳐 있었을 것이다. 열악한 상황 때문이 아니라 책임의 무게 때문에 말이다.

나는 영국 공군 원수 아서 해리스Arthur Harris의 글을 읽은 적이 있다. 공군 사령관에게 제2차 세계대전이란 어떤 의미인가에 대해 쓴 글이다.

> 전쟁에서 큰 규모의 공군을 지휘하는 정신적 부담이 어느 정도
> 로 지독한지는 그 일을 경험해본 극소수 외에는 알 수가 없을 것
> 이다. 해군 지휘관이라면 전쟁 내내 많아야 한두 번의 대규모 작
> 전을 수행한다. 육군 지휘관이라면 6개월에 한 번, 아주 특수한
> 환경에서도 한 달에 한 번 전투에 임하는 데 그친다. 하지만 폭격
> 부대의 사령관은 이런 작전을 24시간마다 펼쳐야 한다. … 그런
> 매일의 긴장이 몇 년간 계속된다면 어떨지는 상상에 맡기겠다.[3]

이렇게 괌에는 핸셀과 노스태드가 있었다. 전쟁에 피폐해진 두 사람은 이 상황이 전쟁의 마지막 장이 되기를 기대하고 있었다. 핸셀은 기지를 잠깐 둘러보겠냐고 제안했다. 해변에도 가보고, 정글을 밀어버리고 만든 새로운 활주로도 구경하고, 전략과 계획에 대해 이야기도 나누고. 노스태드는 '노No'라고 말했다. 그에게는 더 긴밀하게 논의할 일이 있었다. 헤이우드 핸셀의 기억에 평생 남을 순간이 다가왔다. 노스태드는 그에게로 몸을 돌리고 이렇게 말했다. "이런 식으론 안 되겠어. 자네는 이만 손을 떼게."

"하늘이 무너지는 것 같았습니다. 저는 완전히 짓밟혔습니다."[4] 몇 년 뒤 핸셀은 이 순간을 이렇게 묘사했다. 잠시 노스태드는 두 번째, 더 강한 일격을 날렸다. "자네 자리에 커티스 르메이를 앉힐 생각이야."

　　　　　　　　　　　　　어떤 선택의 재검토

독일 폭격 작전의 영웅. 38세의 커티스 에머슨 르메이 Curtis Emerson LeMay 소장. 그의 세대에서 가장 유명한 공군 중 한 명. 그들은 유럽에서 함께 복무했기에 핸셀은 그를 잘 알았다. 핸셀은 이것이 통상의 지도부 개편이 아님을 바로 알아차렸다. 이것은 신랄한 힐책이자 작전 방향의 백팔십도 전향이었다. 워싱턴이 핸셀이 해온 모든 일이 오류였다고 시인한 것과 다름없었다. 커티스 르메이는 헤이우드 핸셀과 대립각을 세우고 있었기 때문이다.

노스태드는 원한다면 르메이의 부사령관으로 잔류해도 좋다고 말했다. 너무나 모욕적인 제안이었기에 핸셀은 말이 안 나올 지경이었다. 노스태드는 열흘 안에 정리를 마치라고 지시했다. 핸셀은 명한 상태로 주위를 서성였다. 괌에서의 마지막 날, 핸셀은 평소보다 술을 좀 더 마시고 젊은 대령이 연주하는 기타에 맞춰 부하들을 위해 노래를 불렀다. "늙은 파일럿은 죽지 않는다. 결코 죽지 않는다. 그저~ 사라질 뿐이~다."**5**

커티스 르메이는 직접 B-29 폭격기를 몰고 섬에 도착했다. 미국 국가 〈성조기여 영원하라 The Star Spangled Banner〉가 연주됐다. 제21폭격기사령부의 항공병들이 사열 행진을 했다. 홍보 장교가 그 순간을 기념하기 위해 둘이 사진을 찍는 게 어떻겠냐고 제안했다. 르메이는 파이프를 물고 있었다. 그는 언제나 파이프를 물고 있었다. 파이프를 어찌해야 할지 모른 그는 계속 파이프를 주머니에 넣으려 했다. 부관이 말했다. "장군님, 사진을 찍으실 동안 제가 파이프를 들고 있겠습니다."**6**

르메이가 목소리를 낮췄다. "나는 어디에 서면 되겠나?"[7]

눈을 가늘게 뜨고 먼 곳을 바라보고 있는 핸셀과 땅에 시선을 둔 르메이의 모습이 카메라에 담겼다. 서로의 옆에 서기가 죽기보다 싫었던 두 사람. 이것으로 끝이었다.

《어떤 선택의 재검토》는 그 순간, 그 순간에 이르기까지, 그다음에 일어난 일들에 대한 이야기이다. 그 명령의 변화가 가져온 반향이 오늘날까지 이어지고 있기 때문이다.

천재, 사이코패스, 방화벽

기술혁명에는 늘 당혹스럽게 느껴지는 부분이 있다. 새로운 아이디어나 혁신이 나타나고 모두가 그것이 세상을 뒤집을 거라고 확신한다. 인터넷이 그랬고 소셜 미디어가 그랬다. 이전 세대에는 전화와 자동차가 그랬다. 이 새로운 발명 덕분에 상황이 더 나아지고, 더 효율적으로 바뀌고, 더 안전해지고, 더 부유해지고, 더 빨라질 것이라는 기대가 싹튼다. 어떤 면에서는 실제로 그렇다. 하지만 불가피하게 옆길로 새는 부분도 있다. 어느 순간 소셜 미디어는 일반인들이 압제를 뒤엎을 수 있게 하는 수단으로 환호를 받는다. 그러나 다음 순간 일반인들이 서로를 억압할 수 있는 플랫폼으로 두려움의 대상이 된다. 자동차는 자유와 이동성을 가져다줄 것이란 기대를 받았고 한동안은 실제로 그러했다. 하지만 이후 수백만 명이 직장으로부터 몇 킬로미터, 몇십 킬로미터 떨어진 곳에 살며 장대한 통근 여정에서 끝도 없는 교통 체증에 갇히는 신세가 되었다. 예상치 못한 그리고 임의적인 수많은 이유로 기술이 의도한 방향에서 벗어나는 경우가 생긴다. 왜일까?

《어떤 선택의 재검토》는 꿈이 어떻게 빗나간 길을 가게 되는지, 그 사례를 연구한다. 새로운 빛나는 아이디어가 하늘에서 뚝 떨어져서는 우리 무릎 위에 부드럽게 착지하지 못하고 땅에 세게 부딪쳐서 산산조각이 나는 이유는 무엇일까? 사실 내가 하려는 이야기는 전쟁 이야기가 아니다. 주로 전쟁에서 벌어지는 일이기는 하지만. 내가 하려는 이야기는 네덜란드 출신의 한 천재와 그가 집에서 만든 컴퓨터에 대한 것이다. 앨라배마주 중부에 살던 형제들의 이야기이고, 영국의 한 사이코패스에 대한 이야기이며, 하버드대학 지하에서 연구에 몰두하던 방화벽放火癖 있는 화학자의 이야기이다. 이것은 우리 의도의 혼란에 대한 이야기이다. 우리는 과거를 돌아볼 때 이런 혼란을 항상 잊고 넘어가기 때문이다.

이 모든 것의 중심에 괌의 정글 속에서 대치하던 헤이우드 핸셀과 커티스 르메이가 있다.

한 명은 집으로 돌아가야 했고 한 명은 거기에 남았다. 그 결과는 제2차 세계대전의 가장 어두운 밤으로 이어졌다. 그들의 이야기에 대해 듣고 이렇게 자문해보라.

나라면 어떻게 했을까? 나는 어느 편이었을까?

1부

꿈

DREAM

1장

"Mr. Norden was content to pass his time in the shop."

노튼의 완벽주의:
폭격조준기는
어떻게 탄생했을까?

꼰대 다이너마이트

세상을 집어삼키고 있는 전쟁이 걱정거리이긴 했으나 아직 현실은 아니던 때, 미 군부의 주의를 끈 비범한 남자가 있었다.

그의 이름은 칼 노든Carl L. Norden. 노든은 일평생 세상의 이목을 피해 살았다. 그는 혼자 일을 했다. 아주 심각한 시국에도 때로 유럽의 어머니 집을 찾아 주방 테이블에서 이것저것 만지작거리고 공상을 하며 시간을 보냈다. 그는 직원만 수백 명에 이르는 큰 회사를 만들었다. 그러고는 전쟁이 끝나자 모든 것을 등졌다. 노든의 생애를 상세하게 다룬 전기는 존재하지 않는다. 약력을 제대로 소개하는 자료도 없다.●

그를 기리는 동상도 없다. 그의 고향 네덜란드에도, 그가 말년을 보낸 스위스에도, 그가 가장 의미 있는 일을 해낸 맨해튼 시내에

● 　나는 2011년 TED 강연에서 노든과 그의 발명에 대해 다룬 바 있다.

도 말이다. 노든은 전쟁의 방향을 바꾸었으며, 그가 불씨를 지핀 꿈은 세기말까지 힘차게 타올랐다. 세상에 그만큼 큰 족적을 남기고 홀연히 사라지는 것이 가능하단 말인가? 어쨌든 그는 그런 일을 해냈다. 노든의 발명을 설명하는 352쪽짜리 기술서에는 그에게 바치는 짤막한 헌사가 있다. "노든은 작업장에서 시간을 보내는 것을 좋아했다. 하루 18시간을 그곳에서 보내기도 했다."[1] 그뿐이다.

노든이 꾼 꿈과 그 결과, 그러니까 노든이 한 세대 전체에 미친 영향에 대한 이야기를 시작하기에 앞서 우선 노든이라는 사람에 대해 알아보기로 하자. 칼 노든의 이야기를 깊게 파고든 역사가는 몇 명 되지 않는다. 나는 그 많지 않은 역사가 중 한 명, 아니 어쩌면 그를 깊이 있게 연구한 유일한 역사가인 스티븐 맥팔런드Stephen L. McFarland 교수에게 이 발명가에 대한 기록이 왜 그토록 적은지 물었다. 교수는 "무엇보다 그가 완벽한 비밀 유지를 요구했던 탓이겠죠"라고 답했다. 그는 이 남자에 대한 설명을 이어갔다. "노든은 대단히 까탈스러운 사람이었습니다. 제가 아는(물론 실제로 아는 것은 아니지만) 그 어떤 사람보다 자존심이 강했죠."

노든은 네덜란드인이다. 그는 당시 네덜란드 식민지였던 인도네시아에서 태어났다. 스위스의 기계 공장에서 3년 동안 견습생으로 지낸 뒤 취리히의 명문 연방공과대學Federal Polytechnic School에서 공학 학위를 받았다. 블라디미르 레닌Vladimir Lenin이 그의 동기였다고 한다. 노든은 단정하고 말쑥했다. 조끼까지 갖춰 정장을 차려입고 다녔다. 조금 뻣뻣한 짧은 백발, 숱 많은 콧수염, 두터운 눈꺼풀에

어떤 선택의 재검토

눈 밑 주름이 워낙 심해서 몇 년은 잠을 못 잔 사람 같았다. 그의 별명은 '꼰대 다이너마이트Old Man Dynamite'였다. 커피를 물처럼 마셨고 주식은 스테이크였다.

맥팔런드 교수는 이렇게 설명했다.

그는 태양이 사람을 멍청하게 만드는 생물학적 작용을 한다는 굳은 믿음을 갖고 있었습니다. 그래서 커다란 모자를 쓰지 않고는 절대 밖에 나가지 않았죠. 그의 가족 모두가 집 밖에선 항상 모자를 써야 했습니다. 그는 어린 시절을 네덜란드령 동인도제도에서 보냈는데, 그와 그의 가족은 태양이 우둔함을 유발한다는 생각 때문에 항상 모자를 착용했습니다.

맥팔런드는 노든이 "사회적 약자들의 삶을 드러내주는 디킨스Charles Dickens[19세기 영국의 대표적 소설가. 사회 비판적인 작품을 많이 집필했다]의 책과 간소한 생활에 대해 이야기하는 헨리 데이비드 소로Henry David Thoreau[미국의 유명한 사상가. 하버드대학을 졸업한 후 여러 직업을 전전하며 평생 자연 속에서 간소한 삶을 추구했다]의 책을 탐독했다"[2]고 적었다. 그는 세금 내는 것을 지독하게 싫어했다. 그래서 프랭클린 루스벨트Franklin Roosevelt[미국 제32대 대통령. 대공황 시대에 공공사업을 늘려 실업자를 흡수하고 경제를 재건시킨 인물. 연방 정부 재정 적자를 증세 정책으로 타개했다]를 악마로 여겼다.

노든이 얼마나 화가 많은 사람이었는지 맥팔런드는 이렇게 전한다.

유명한 일화가 있습니다. 노든이 어깨너머로 자신을 살피는 걸 짜증스럽게 여긴 기술자가 그를 보면서 이렇게 말했습니다. "왜 우리가 이 부품을 이런 식으로 만들고 있는지 설명이나 좀 해보시죠." 그러자 노든은 왈칵 성을 냈습니다. 그는 피우던 담배를 내던지고는 고래고래 소리를 질렀죠. "내가 그 부품을 그런 식으로 설계한 데는 10만 가지 이유가 있어. 하지만 그중 어떤 것도 당신이 상관할 일이 아냐!" 그는 직원들을 전부 그런 식으로 대했습니다. 말 그대로 꼰대 다이너마이트였습니다.

맥팔런드는 노든의 완벽주의에 대한 설명을 이어갔다.

비용은 상관이 없었습니다. "가능한 한 완벽하게 만드는 것"만이 의미 있었죠. 저는 엔지니어들이 지식을 어떻게 쌓고 작업 방식을 어떻게 익히는지 지켜봐왔습니다. 그들은 하나같이 이전에 이루어진 것에 대해 배우는 일의 중요성을 얘기했죠. 하지만 노든의 태도는 달랐습니다. "그런 것은 듣고 싶지 않아"라는 식이었죠. 그가 원하는 것은 종이, 연필, 특정한 수학적 문제의 계산 공식이 가득한 공학서 몇 권이 전부였습니다. 그는 선입견이나 편견으로부터 자유로운 흰 도화지 같은 상태, 어떤 변화도 입히지 않은 원래 그대로의 상태가 갖는 가치를 철저하게 믿었습니다. 여기에서 그의 자의식이 어떤 모습이었는지가 드러납니다. 그는 이렇게 말했습니다. "나는 다른 사람이 한 실수에 대해 알고 싶지 않아. 그들이 올바르게 해낸 것에 대해서도 알고 싶지 않아. 나는 스스로 올바른 것을 만들어내겠어."

칼 노든이 백지 위에서 만들어낸 것은 폭격조준기이다. 레이더와 GPS가 있는 지금 시대에는 더 이상 폭격조준기를 사용하지 않는다. 하지만 지난 세기의 대부분 동안 폭격조준기는 엄청나게 중요한 역할을 했다. 이 정도로는 자칫 그 중요성을 과소평가할 수 있으니 좀 더 자세히 설명해볼까 한다. 20세기 초를 기준으로 다음 반세기 동안 해결되지 않은 가장 중요한 기술적 문제 열 가지를 꼽는다면, 그 문제 목록에는 어떤 것들이 들어갈까? 바로 떠오르는 것이 몇 가지 있다. 홍역이나 볼거리 등 어린이들이 겪는 질환을 예방하기 위한 백신이 절실히 필요했다. 기근을 막기 위해 더 나은 농업 비료가 필요했다. 적절한 가격의 편리한 냉난방 장치가 있었다면 세상의 많은 부분이 생산성의 급격한 향상을 이룰 수 있었을 것이다. 노동자계급 가정에서 구매할 수 있을 만큼 저렴한 자동차도 생각할 수 있다. 목록은 끝이 없다. 그런데 이 목록 어딘가에 군사적 측면을 고려한 항목, '항공기에서 더 정확하게 폭탄을 떨어뜨릴 방법'이 자리할 수도 있지 않을까?

'그 문제가 백신, 비료, 냉난방 장치 같은 목록에 들어갈 만한 것인가?'라고 의아하게 생각하는 사람이 많을 것이다. 거기에 대한 답이 여기 있다. 20세기 초, 세계는 제1차 세계대전을 겪었고 거기에서 3,700만 명의 사람이 죽거나 다쳤다. 3,700만 명이다. 솜 전투Battle of the Somme[1916년 제1차 세계대전 당시 프랑스 동북부의 베르됭 북쪽 솜강 유역에서 영국·프랑스 연합군과 독일군이 두 번에 걸쳐 벌인 격전]에서 100만 명 넘는 사상자가 나왔다. 뚜렷한 의미도 없고 전쟁의 향방에 그다지 큰 영향을 주지도 못한 전투에서 말이다.

제1차 세계대전은, 그것을 겪어낸 사람들에게는, 대단히 충격적인 경험이었다.

그래서 그 문제를 어떻게 해결한단 말인가? 군이 전쟁에서 싸우는 방식을 바꾸는 것이, 다시 말해 좀 더 바람직하게 싸우는 방법(도무지 이치에 맞지 않는 말로 보이겠지만)을 배우는 것이 유일한 현실적 해법이라고 믿는 소수의 사람들이 생겨났다. '바람직한 전쟁'이라는 주장을 펼친 것은 조종사들이었다. 그들은 그 시대가 낳은 가장 새롭고 가장 흥미로운 기술적 개가에 마음을 빼앗겼다. 그들은 비행기에 집착했다.

오크통을 맞히는 꿈

제1차 세계대전에서 비행기의 첫 등장은 상당히 인상적이었다. 당신도 사진을 통해 이런 초기 비행기들을 접해보았을 것이다. 합판과 천·금속·고무로 이루어진 비행기에는 위와 아래 두 쌍의 날개가 있고, 날개는 지주로 연결되어 있었다. 좌석은 하나였으며 프로펠러와 동기화된 기관총이 앞을 향해 있고 총알은 프로펠러 사이로 발사되었다. 이 비행기들은 차고에서 조립해 우편으로 판매할 법한 수준의 물건이었다. 제1차 세계대전 때 가장 유명했던 전투기는 소프위드 캐멀Sopwith Camel이었다(옛날 〈피너츠Peanuts〉 만화에서 스누피Snoopy가 타던 비행기이다). 소프위드 캐멀은 그야말로 엉망이었다. 항공 저술가 로버트 잭슨Robert Jackson은 이렇게 말한다.

"초심자의 손에 맡겨진 이 비행기는 킬러가 될 수 있는 악랄한 특성을 보여주었다."**3**

공격하는 적을 죽이는 킬러가 아니라 비행기를 모는 조종사를 죽이는 킬러였다. 하지만 새로운 세대의 조종사들은 이 기계에 대해 이렇게 말했다.

"이런 기계를 통해 생명을 앗아가는, 헛되고 무의미한 지상의 전투를 없앨 수 있다면 어떨까? 전투가 공중에서 벌어진다면 어떻게 될까?"

도널드 윌슨Donald Wilson은 이런 파일럿 중 하나였다. 그는 제1차 세계대전에 참가했고, 동료 병사들이 어떤 두려움에 사로잡혔었는지 기억했다.

1975년의 구술사口述史[개인이나 집단의 기억을 구술, 즉 입을 통해 역사적 사실로 정리한 것. 주로 문서 기록에만 의존하던 전통적 사료史料의 범위를 일반 대중의 기억으로 확대한 데 의미가 있다]에서 그는 이렇게 회상했다.

한 친구는 스스로 목숨을 끊었는데, 그 장소를 구내식당으로 선택했습니다. 입안에 총구를 집어넣고 방아쇠를 당겼죠. 참호에 함께 있던 또 다른 친구는 자기 다리를 쏘았습니다. 이들은 엄청난 위험을 과장해서 받아들인 것입니다. 하지만 제 생각에 우리 대부분은 자신이 어디로 빨려 들어가고 있는지 자각하지 못했습니다.[4]

월슨은 1920년대에 비행을 시작했고, 제2차 세계대전 때는 장군이 되었다. 나는 1970년대에 월슨이 자비로 출판한 자서전을 우연히 발견했다. 《매혹의 페포니 Wooing Peponi》[peponi는 스와힐리어로 '낙원'이라는 뜻]라는 제목의 이 책은 고등학교 연감을 연상시켰다. 비슷비슷한 이야기가 끝없이 계속된다. 딱 중간쯤에 월슨이 비행 첫해에 이른 결론에 대한, 이상하게 눈길을 끄는 구절이 있었다.

그러다 난데없이 미래에 대한 비전이 생겨났다. 오랜 시간이 흐른 후 완전히 다른 배경에서 이루어진 '나에게는 꿈이 있습니다'라는 감동적인 연설에서 마틴 루서 킹 Martin Luther King이 말했던 것처럼.[5]

월슨은 공군력이 가진 가능성에 대한 그의 비전을 인권 운동의 가장 상징적인 순간에 비교했다. 이후에는 킹의 수사적 패턴까지 빌려온다.

나에게는 꿈이 있다. … 군이 전통적으로 해왔듯이 각 나라가 군
사력의 우위를 입증하기 위해 싸우는 것이 아니라, 자국이 원하
는 조건을 설정하고 상대국에 그 요구 조건을 강제할 수 있는 입
지에 서기 위해 싸우는 꿈이다. 나는 우리의 적대국이 될 주요 국
가들이 산업화와 조직화를 이루고 상호 의존하는 여러 요소의
원만한 운영에 의지하게 되기를 희망한다. 이에 새롭게 부상하
는 공군력이 이 복잡하게 연결된 현대 국가의 상호 의존적 특성
중에서 제한적인 수의 표적을 파괴할 수 있기를 희망한다. 나는
그런 파괴에 겁을 먹거나 파괴의 가능성을 두려워한 희생자가
평화를 청하게 되기를 희망한다.[6]

어떻게 해석하든 참으로 오만한 글이다. 당시 미군에는 조종
사가 매우 적었기 때문에 모두가 서로를 알고 있었다. 클럽과 비슷
한 한 무리의 열성분자쯤 된다고 할까. 윌슨은 금방 망가져도 이상
하지 않을 비행 기계를 모는 이 작은 무리가 전쟁의 모습을 뒤바꿀
수 있다고 말한 것이다.

"나는 그런 파괴에 겁을 먹거나 파괴의 가능성을 두려워한 희
생자가 평화를 청하게 되기를 희망한다"라니…. 이 말은 오로지 항
공기만으로 전쟁을 승리로 이끌 수 있다고 믿었다는 뜻이다. 공습
으로 엄선된 목표물에 폭격을 가함으로써 전장에서 수백만 명을

도륙하지 않고도 적을 무릎 꿇게 만들 수 있다고 말이다.

이들은 그 꿈을 실현하기 위해 처리해야 할 문제가 있다는 것을 잘 알고 있었다. 대단히 구체적인 기술적 문제, 너무나 중대해서 백신·비료와 함께 10대 문제 목록에 들 수밖에 없는 문제를 처리해야 했다. 이 몽상가들의 생각처럼 비행기가 전장에서 혁명을 일으킬 수 있으려면, 그러니까 공습과 목표물 타격을 통해 적을 굴복시킬 수 있으려면, 공중에서 목표물을 타격할 방법이 있어야 했다. 정작 그 방법을 아는 사람은 없었다.

나는 스티븐 맥팔런드에게 폭격 대상을 정밀 조준하는 것이 왜 그렇게 어렵냐고 물었다. 그는 이렇게 대답했다.

제게도 정말 놀라운 일이었습니다. 당신은 그저 영상이나 영화에서 접한 것들을 통해 '표적에 십자선을 맞추기만 하면 나머지는 폭격조준기가 알아서 해주지 않나?'라고 생각할 테죠. 하지만 폭탄을 정확히 목표물에 떨어뜨리는 데에는 어마어마하게 많은 요소가 관여합니다. 당신이 운전하는 차가 고속도로에서 시속 100킬로미터의 속도로 달리고 있다고 생각해보세요. 그 상태에서 창문 밖으로 뭔가를 던져 어떤 대상을 맞추어야 한다면 어떨까요? 길가에 있는 표지판이나 나무 같은 것을요. 움직이지 않는 물건이더라도 달리는 차 안에서 맞추려면 대단히 힘들 거예요.

시속 80킬로미터로 달리는 차 안에서 쓰레기통에 음료수병을 던져 넣으려 한다면 재빨리 물리학적 계산을 해야 할 것이다. 쓰레기통은 움직이지 않지만 당신과 차가 빠르게 움직이고 있으므로 쓰레기통에 이르기 전에 음료수병을 던져야만 한다. 그럼 당신이 6~9킬로미터 상공의 항공기 안에 있다면? 문제는 엄청나게 복잡해진다.

맥팔런드의 설명은 이어진다..

제2차 세계대전 때의 항공기는 시속 300~500킬로미터로 날았고 때로는 비행 속도가 800킬로미터에 달했습니다. 게다가 9킬로미터 상공에서 폭탄을 떨어뜨렸죠. 지상을 타격하기까지 20~30초, 때로는 35초가 걸립니다. 게다가 그 시간 내내 당신은 총격의 표적이 됩니다. 구름 사이를 살피거나 대공포대antiaircraft artillery를 피해야 하죠. 유인용 미끼와 연막 같은 문제도 다루어야 합니다. 다른 폭탄에서 나오는 연기, 귓속으로 들어오는 사람들의 비명, 마음의 동요…. 전쟁이 시작되면 일어나는 갖가지 이상한 문제들을 처리해야 합니다.

바람이 시속 160킬로미터에 이르기도 한다. 그것도 계산에 넣어야 한다. 날이 추우면 공기의 밀도가 높아서 폭탄이 천천히 떨어진다. 날이 더우면 공기의 밀도가 낮아서 폭탄이 빠르게 떨어진다. 이런 것들도 고려해야 한다. 비행기의 고도는? 비행기는 옆으로 움직이고 있는가? 상하로 움직이고 있는가? 투하 지점에서의 작은 오차도 지상에 이르렀을 때는 큰 영향을 미친다. 6킬로미터 상공에서 목표물이 보이기는 할까? 공장은 가까이에서 보면 크고 확실하겠지만 그렇게 멀리에서는 우표처럼 보인다. 항공 역사 초기의 폭격기들은 어떤 것도 타격할 수 없었다. 타깃 근처에도 가지 못했다. 폭격수가 눈을 감고 다트판에 다트를 던지는 편이 더 나을 지경이었다. 폭격기가 전쟁에 대변혁을 가져올 수 있다는 꿈은 전혀 검증도 입증도 되지 않은 황당한 가정을 기반으로 하고 있었다. 어느 시점에 누군가가 어떤 식으로든 높은 고도에서 비교적 정확하게 폭탄을 조준할 방법을 찾아낼 것이라는 전제가 있었던 것이다. 이것은 그 시대의 기술적 희망 사항 목록에 올라 있던 중요한 문제였다. 이윽고 칼 노든이 나타났다.

맥팔런드는 노든의 설계 방법이 몹시 특이했다고 말한다.

아무런 도움도 받지 않았습니다. 그는 오로지 혼자서 설계를 했죠. 모든 것이 그의 머릿속에 있었습니다. 그는 메모지도 가지고 다니지 않았습니다. 노트도 없었습니다. 기록 보관소에 가서 그의 기록을 찾아볼 수는 없습니다. 그런 곳이 존재하지 않으니까요. 모든 것이 그의 머릿속에 있었습니다. 한 사람이 그런 식의 복잡한 것을 머리에 담고 있다니…. 저는 설계를 그런 식으로 할 수 있다는 것에 경악했습니다. 하지만 엔지니어들은 대상을 눈이 아닌 마음으로 보는 '심안'에 대해 말합니다. 칼 노든의 경우가 바로 그러했습니다.

나는 맥팔런드 교수에게 노든이 천재라고 생각하느냐고 물었다. 그는 대답했다.

그라면 오로지 신만이 발명을 하고 인간은 발견을 할 뿐이라고 말할 겁니다. 그래서 그에게 그것은 '천재성'이 아니었습니다. 그는 그런 용어를 받아들이지 않았을 것입니다. 그는 그런 말에 감사하지 않았을 테고, 누군가가 자신을 천재라고 부르는 걸 인정하지 않았을 것입니다. 그는 자신이 신의 위대함, 신의 창조물을 발견하는 사람에 불과하다고, 신은 기꺼이 열심히 노력하고 자신의 머리를 신의 진실을 발견하는 데 이용하려는 사람들을 통해 진실을 드러낸다고 말할 것입니다.

노든은 1920년대부터 폭격조준기 문제를 다루기 시작했다. 그는 해군에서 계약을 따냈다. 하지만 이후에는 육군항공단Army Air Corp(지금의 미 공군을 당시에는 이렇게 불렀다)을 위해 일했다. 그는 현재 소호SoHo라고 부르는 맨해튼 지역의 라파예트 스트리트에 작업장을 내고, 거기에서 걸작을 만들기 시작했다.

미국이 제2차 세계대전에 참여하면서, 군은 서둘러 폭격기에 노든의 폭격조준기를 장착했다. 폭격기에는 대개 조종사, 부조종사, 항법사, 사수, 그리고 가장 중요한 폭격수 등 열 명의 승무원이 탑승했다. 폭격수는 폭탄을 조준해서 떨어뜨리는 역할을 했다. 폭격수가 제 역할을 해내지 못하면, 다른 승무원 아홉 명의 노력은 헛수고가 된다.

폭격수를 위한 전시 군 훈련 영상은 적진에 있는 목표물의 항공사진을 보여주면서 노든 폭격조준기의 중요성을 설명했다.

이들 중 하나가 너희의 목표물이다. 이들은 너희가 여기에 있는 이유이다. 여기와 다른 폭격 학교에 집합되어 있는 모든 거대한 장비의 존재 이유이다. 교관들이 여기에서 너희를 가르치는 이유이다. 여기에 있는 조종사들이 너희가 맡은 임무에 따라 너희를 태우고 비행하는 이유이다.

여기 이 방에 앉아 있는 너희 중 누군가는 스크린에 영사되는 것이 아니라 폭격조준기의 십자선 아래에서 움직이는 이들 목표물 중 하나를 보게 될 것이다. 폭탄은 어디에 투하될까? 30미터 떨어진 곳에? 150미터 떨어진 곳에? 그것은 너희의 손가락과 눈을 노든 폭격조준기에 내장된 정밀한 장치에 얼마나 잘 맞게 훈련시켰느냐에 달려 있다.[7]

노든 폭격조준기의 공식 명칭은 '마크 15'였다. 이를 사용하는 항공병들은 '더 풋볼the football'이라는 별명을 붙였다. 폭격조준기의 무게는 25킬로그램으로 비행기가 출렁거려도 항상 기계를 안정시켜주는 일종의 대■, 즉 자이로스코프gyroscope[항공기·선박 등의 평형 상태를 측정하는 데 사용하는 기구]로 평형을 유지하는 나무틀 위에 자리 잡고 있었다. 폭격조준기의 본질은 아날로그 컴퓨터였다. 거울, 망원경, 볼베어링 ball bearing [기계의 여러 부분이 회전하면서 서로 지나칠 때 일어나는 마찰에 의한 에너지 손실을 줄이기 위해 내륜과 외륜 사이에 강구鋼球를 넣은 부품], 수준기水準器 [수평선 또는 수평면을 구하기 위한 기구], 다이얼로 이루어진 치밀하고 섬세하게 가공된 기계였던 것이다. 폭격수는 움직이는 비행기에서 망원경을 통해 목표물을 주시하며 대단히 복잡한 일련의 조정을 했다. 노든은 64개의 알고리즘을 만들었다. 그는 이 알고리즘이 '바람의 속도와 방향이 폭탄의 궤적에 얼마나 영향을 주는가?' '공기의 온도는 얼마나 영향을 미치는가?' '비행기의 속도는?' 등 폭격에 관한 모든 문제를 해결한다고 생각했다. 노든 폭격조준기에 대한 적절한 훈련을 받기 위해서는 6개월이 필요했다.

육군의 훈련 영상을 보는 것만으로도 두통이 생길 것 같다. 해설자는 이렇게 말한다.

이제 바닥의 선을 본다. 그것이 시작할 때의 조준선이다. 똑바로 목표물을 향한다. 물론 공중에 있을 때는 땅에 그려진 편리한 선 같은 것이 존재하지 않는다. 하지만 폭격조준기가 그에 상응하는 것을 제공한다. 폭격조준기가 두 부분으로 나뉘어 있다는 것을 기억하는가? 밑에는 안정장치가 있다. 그리고 그 안에 또 다른 자이로 gyro가 있는데, 거기에는 수평축만이 있다.

그 윗부분이 조준기이다. 안정장치는 비행기의 종縱축에 고정되어 있다. 하지만 조준기는 움직이기 때문에 돌려서 목표물을 겨눌 수 있다. 조준기는 연결축에 의해 안정장치에도 연결되어 있다. 이들을 통해 자이로가 조준기의 위치를 통제한다. 그 때문에 비행기가 아무리 많이 기울어도 조준기는 항상 동일한 방향을 가리킨다.[8]

이런 모든 것을 통해 폭격수는 언제 "폭탄 투하!"를 외쳐야 할지 정확히 알 수 있다.

맥팔런드는 노든 연구의 첨단적인 내용 중 하나에 대해 설명했다.

노든의 64개 알고리즘 중 하나는 폭탄을 떨어뜨릴 때 목표물을 타격하기까지 30초가 걸린다는 사실을 계산에 넣습니다. 그 30초 동안 축을 중심으로 도는 지구 역시 움직이죠.

따라서 그는 이를 위한 보정補整 공식을 만들었습니다. 폭탄이 목표물을 타격하기까지 20초가 걸린다면, 그동안 지구는 (예를 들어) 366센티미터 움직입니다. 따라서 목표물이 366센티미터 이동한 사실에 맞추어 컴퓨터를 조정해야 하죠. 6킬로미터 상공에 있다면 지구는 762센티미터 움직일 겁니다. 이런 모든 것을 이 컴퓨터에 입력해야 합니다.

어떤 선택의 재검토

육군은 수천 개의 노든 폭격조준기를 구입했다. 매 임무 전에, 무장 호위를 받는 폭격수들이 금고에서 장비를 인수받은 뒤 금속 상자에 담아 비행기로 옮긴다. 불시착할 경우, 폭격수들은 즉시 폭격조준기를 파괴해 적의 손에 들어가지 않도록 하라는 교육을 받는다. 이를 위해 폭격수들에게 46센티미터 길이의 폭파 장치가 주어졌다는 설도 있다. 그리고 최종적인 예방 조치로 폭격수들은 특별한 선서를 해야 한다.

"나는 나에게 드러난 모든 정보의 기밀을 유지할 것을 엄숙히 맹세하며, 내가 미국의 가장 귀중한 자산의 보호자라는 점을 숙지하고 필요하다면 내 목숨을 바쳐서라도 미국 폭격조준기의 비밀을 지킬 것 또한 맹세한다."[9]

이 모든 극적인 사건과 기밀의 한가운데에 칼 노든, 화 많고 별난 노든이 있었다. 미국이 전쟁에 참여하기 전, 그는 이 발명품을 최종적으로 마무리하는 와중에도 때로 맨해튼을 떠나 취리히의 어머니 집으로 돌아가곤 했다. 맥팔런드는 이런 행태에 미국 관리들이 '분개'했다고 말했다.

FBI는 그를 보호하기 위해 요원을 파견했습니다. 육군은 행여 영국인들이 그를 독일의 스파이로 생각하고 억류하지 않을까 걱정했습니다. 하지만 그는 막무가내였죠. "나는 스위스로 갈 거요. 나를 막을 수 있는 건 아무것도 없소." 미국이 전쟁에 참가하지 않은 시기였기 때문에 전시법戰時法이 아직 시행되지 않고 있었습니다. 따라서 법적으로는 그를 막을 방법이 없었죠.

왜 군은 그의 고집을 묵인했을까? 노든의 폭격조준기가 성
배聖杯만큼 중요했기 때문이다.

노든에게는 테드 바스Ted Barth라는 동업자가 있었다. 바스는 영
업을 담당하는 얼굴마담이었다. 미국이 참전하기 전해에 그는 이렇
게 말했다. "우리는 9킬로미터 상공에서 1.4제곱미터 너비의 목표
물을 타격하는 걸 그리 어려운 일로 생각지 않습니다." 간단히 말해
폭격조준기가 9킬로미터 상공에서 피클 담글 때 쓰는 오크통만 한
표적에 폭탄을 떨어뜨릴 수 있다는 것이다. 그리고 이는 노든에 얽
힌 전설의 토대가 되었다.

1세대 군 조종사들에게 그런 주장은 전율 그 자체였다. 제2차
세계대전 동안 가장 많은 돈이 든 프로젝트는 B-29 폭격기 슈퍼포
트리스였다. 다음으로 많은 돈이 들어간 것은 맨해튼 프로젝트
Manhattan Project였다. 세계 최초의 원자폭탄을 발명하고 제작하는 전대
미문의 엄청난 과제였다. 그렇다면 세 번째로 많은 돈이 든 프로젝
트는 무엇일까? 폭탄도, 항공기도, 탱크도, 총도, 배도 아닌 노든의
폭격조준기, 바로 칼 노든의 정밀한 상상 속에서 고안된 25킬로그
램짜리 아날로그 컴퓨터였다. 왜 폭격조준기에 그렇게 많은 투자를
한 것일까? 노든은 꿈, 그것도 전쟁사에서 가장 강력했던 꿈을 상
징하기 때문이다. 9킬로미터 상공에서 오크통에 폭탄을 떨어뜨릴
수 있다면, 군대가 더 이상 필요치 않다. 젊은이들이 전장에서 목숨

을 잃게 놓아두거나 도시 전체를 파괴할 필요도 없다. 전쟁의 모습을 완전히 바꿀 수 있다. 정확하고 빠르고 거의 피를 흘리지 않는 전쟁으로. '거의' 말이다.

2장

"We make progress unhindered by custom."

폭격기 마피아:
기술의 진보가
신념을 만날 때

"우리는 관습에 구애받지 않고 진보한다"

항공단전술학교

혁명은 언제나 집단적 활동이다. 그 때문에 칼 노든이 그토록 변칙적인 존재로 여겨지는 것이다. 한 사람이 주방 테이블에 앉아 혁명을 시작하는 일은 극히 드물다. 인상주의 운동은 한 명의 천재가 인상주의적으로 그림을 그렸기 때문에 시작되어 피리 부는 사나이가 신봉자 무리를 이끌 듯 나타난 것이 아니었다. 대신, 피사로Pissarro와 드가Degas가 동시에 에콜 데 보자르École des Beaux-Arts [프랑스의 국립미술학교]에 들어가고, 이후 피사로가 모네Monet에 이어 아카데미 스위스Académie Suisse에서 세잔Cézanne을 만나고, 마네Manet가 루브르Louvre에서 드가를 만나고, 모네가 샤를 글레르Charles Gleyre의 화실에서 르누아르Renoir와 친구가 되고, 다시 르누아르가 피사로와 세잔을 만나고, 얼마 지나지 않아 모두가 카페 게르부아Café Guerbois에서 시간을 보내는 가운데 아이디어를 교환하고, 서로를 부추기고, 의견을 나누고, 경쟁하고, 꿈을 꾸면서 결국 뭔가 급진적이고 완전히 새로운 것이 등장한 것이다.

이런 일은 늘 일어난다. 글로리아 스타이넘 Gloria Steinem은 1970년대 초 여권운동의 대표적 인물이다. 그렇다면 무엇이 미국에서 공직에 선출되는 여성의 수를 두 배로 만들었을까? 글로리아 스타이넘은 셜리 치점 Shirley Chisholm, 벨라 앱저그 Bella Abzug, 타냐 멜리치 Tanya Melich와 더불어 전국여성정치위원회 National Women's Political Caucus를 만들었다. 혁명은 대화, 논쟁, 검증, 근접성이 존재하고 당신이 중요한 발견에 이를 수 있겠다는 가능성이 듣는 사람들의 눈에까지 보여야 비로소 시작된다.

현대전을 바꾸겠다는 꿈에 사로잡힌 사람들이 친구들과 함께 시간을 보내고 늦은 밤까지 긴 토론을 하고, 그 가능성이 동료들의 눈에도 보인다는 것을 발견한 장소는 맥스웰필드 Maxwell Field라고 불리는 항공 기지였다. 맥스웰필드는 앨라배마주 몽고메리에 있었고, 지금도 그렇다. 라이트형제, 그러니까 오빌 라이트 Orville Wright와 윌버 라이트 Wilbur Wright가 이곳의 오래된 목화 농장을 비행기 이착륙장으로 바꾸었다. 이곳은 1930년대에 펜실베이니아주 칼라일 소재 육군대학원 Army War College이나 로드아일랜드주 뉴포트에 있는 해군대학 Naval War College의 항공 버전이라고 할 수 있는 육군항공단전술학교 Air Corps Tactical School의 고향이 되었다. 오늘날의 기지 대부분은 1930년대에 지은 모습 그대로를 유지하고 있다. 모든 것이 연노랑 콘크리트와 벽토壁土에 붉은 기와지붕이다. 거대한 종가시나무가 늘어선 조용한 곡선 도로에는 프랑스 전원풍으로 지은 우아한 수백

채의 장교 사택이 있다. 여름이면 공기가 습하고 탁하다. 이곳은 앨라배마주 내륙 깊숙한 지역이다. 바로 몇 킬로미터 밖에는 앨라배마주 의회를 비롯해 웅장한 19세기 건물들이 있다. 혁명의 발상지이지만 좀처럼 그렇게 느껴지지 않는 곳이다.

당시 공군은 별개의 군 조직이 아니라 육군의 전투 사단이었다. 지상군을 지원하고, 보조하고, 수행隨行하기 위해, 즉 지상 병력의 이익을 위해 존재했다. 제1차 세계대전 당시 미군을 지휘했던 전설적인 육군 장성 존 '블랙 잭' 퍼싱 John 'Black Jack' Pershing은 공군력에 대해 이런 글을 남겼다. "공군력만으로는 전쟁에서 이길 수 없다. 또한 지금 우리가 아는 한 미래의 어느 시점에도 그런 일은 불가능하다."●1 그것이 기존 군부가 비행기에 대해 갖고 있던 견해였다. 10년간 미 공군의 수석 역사가이던 리처드 콘Richard Kohn은 초기에는 사람들이 공군력에 대해 이해하지 못하는 상태였다고 설명한다.

심지어 한 하원의원은 이렇게 말했다고 합니다. "비행기에 대해서 왜 이렇게 논란이 많지? 비행기를 하나 사서 여러 군이 공유하면 되지 않소?"

● 이 인용구는 퍼싱이 1920년 육군항공근무대Army Air Service 책임자에게 보낸 서한에서 발췌한 것이다. 이 서한에서 그는 항공근무대가 "육군의 일부로 존재해야" 한다고 주장했다. 그는 공군력이 육군을 돕기 위해 존재하며 육군 지휘하에 남아야 한다고 믿었다. "성공을 기대하려면, 공군력은 다른 전투 사단과 동일한 방식으로 통제받아야 하며, 동일한 규율을 이해하고, 정확히 동일한 조건에서 육군의 명령에 따라 움직여야 한다."2

항공단전술학교는 원래 앨라배마주가 아닌 버지니아주 랭글리에 자리했다. 격납고 옆에는 마구간이 있었고, 조종사들은 19세기와 마찬가지로 말 타는 법을 배웠다. 그 시대의 조종사(수백 명에 불과했다)들이 그에 대해 어떤 느낌을 받았을지 짐작이 가는가? 육군의 일원인 동안은 비행기를 조종할 줄 모르고, 비행기에 대해 이해하지 못하고, 매일 아침 그들이 말을 마사지해주길 바라는 사람들의 지휘를 받을 수밖에 없다는 생각이 들었다. 조종사들은 독립을 바랐다. 독립을 향한 첫 단계는 훈련소를 육군의 영향력으로부터 문화적으로나 물리적으로 가능한 한 먼 곳으로 옮기는 것이었다. 맥스웰필드가 남부 시골구석의 오래된 목화 농장에 자리 잡았다는 사실은, 요즘 말로 버그bug가 아닌 특징feature이었다. 약점이 아닌 혜택이었다는 뜻이다.

공군력의 연혁이 얼마 되지 않았기 때문에 전술학교의 교수진은 야심으로 가득한 20~30대 젊은이들이었다. 주말이면 술에 취해 재미로 전투기를 몰고 자동차 레이싱도 했다. 그들의 모토는 "우리는 관습에 구애받지 않고 진보한다Proficimus more irretenti"였다. 항공단전술학교의 리더들은 '폭격기 마피아'라고 불렸다. 칭찬으로 붙인 이름은 아니었다. 당시는 알 카포네Al Capone와 러키 루치아노Lucky Luciano가 있고, 거리에서 총격전이 벌어지던 시절이었다. 하지만 항공단 교수진은 그런 꼬리표가 자신들에게 대단히 잘 어울린다고 생각했다. 그렇게 그 이름이 고착되었다.

폭격기 마피아의 정신적 지주 중 한 명인 해럴드 조지Harold

George는 이렇게 표현했다. "우리는 열의가 충만했다. 우리는 그러니까 … 십자군전쟁을 시작하고 있었다. 우리는, 우리 편은 십수 명에 불과하고 상대편에는 1만 명의 장교를 비롯한 육군·해군이 있다는 것을 잘 알고 있었다."**3**

조지는 보스턴 출신이었다. 제1차 세계대전 때 입대한 그는 비행기에 마음을 빼앗겼다. 1930년대 초에는 전술학교에서 강의를 시작했고, 제2차 세계대전 동안 장군으로 진급했다. 전쟁이 끝난 후에는 하워드 휴즈Howard Hughes를 위해 일했다. 휴즈의 전자 제품 사업을 맡아 경영한 것이다. 이후 조지는 자리를 옮겨 또 다른 전자 회사의 설립을 도왔고, 이 회사는 거대한 방산 업체가 되었다. 내가 가장 재미있게 생각하는 부분은 그가 두 차례나 베벌리힐스의 시장으로 선출되었다는 점이다.

그렇다. 모두가 한 사람의, 단 한 번의 인생에서 일어난 일이다. 하지만 해럴드 조지에게 그의 경력에서 가장 두드러진 부분을 꼽아달라고 청했다면, 그는 아마 1930년대에 맥스웰필드에서 비행을 가르치던 흥미진진한 시절이라고 말했을 것이다.

1970년의 구술사에서 그가 말했듯이 "우리가 하고 있는 일을 이해하는 사람은 아무도 없는 것 같았다. 그렇다 보니 우리가 하고 있는 종류의 교육을 멈추라는 어떤 지시도 없었다."**4**

전술학교는 대학이었다. 학문을 가르치고 배우는 곳이었던 것이다. 하지만 교수진 중에는 교육 경험을 갖춘 사람이 많지 않았다. 그들이 가르치는 것은 너무나 새롭고 급진적이었기 때문에 공부할

교과서나 읽을 논문이 존재하지 않았다. 그들은 거의 즉흥적으로 수업 내용을 만들었다. 수업은 곧 세미나로, 또 공개적인 토론으로 바뀌어 저녁 식사 자리까지 이어졌다. 항상 일어나는 일이다. 대화가 혁명의 씨앗이 되는 것 말이다. 이윽고 이 집단은 어떤 사람도 혼자서는 가려고 생각지 못했던 방향으로 발을 떼기 시작했다.

도널드 윌슨은 폭격기 마피아의 핵심 멤버였다. 훗날 자서전에 자신은 다른 종류의 전쟁을 꿈꾸었다는 이야기를 남긴 그는 당시를 이렇게 회상했다.

육군성 지휘부의 참모들이 우리가 맥스웰필드에서 하고 있는 일을 알았더라면, 우리는 분명 영창에 끌려갔을 것이다. 기존의 신조와는 완전히 상반되는 것이었기 때문에 그들이 알고도 우리가 그런 식으로 행동하도록 놓아둔다는 것은 상상할 수 없었다.[5]

진보에 대한 신념

20세기 초의 사람들은 군용기를 생각할 때 전투기를 떠올렸다. 공중에서 적과 교전할 수 있는 작고 기동성 뛰어난 비행기를 말이다. 하지만 맥스웰필드의 이단아들은 그러지 않았다. 그들은 1930년대의 항공 기술 발전에 집착했다. 알루미늄과 철이 합판을 대체했다. 엔진은 더 강력해졌다. 항공기는 더 커졌고 쉽게 날 수 있게 되었다. 인입식 착륙 장치와 가압형 동체가 생겼다. 이런 발전을 바탕으로 폭격기 마피아는 완전히 새로운 종류의 항공기, 막 미국 전역으로 승객을 실어 나르기 시작한 상업 항공기만큼이나 큰 비행기를 상상했다. 크고 강력한 비행기는 상공에서 다른 비행기와 싸우는 일만 하는 것이 아니다. 그런 비행기는 폭탄을, 그러니까 지상의 적들에게 심각한 피해를 줄 수 있는 무겁고 강력한 폭발물을 옮길 수 있다.

그것이 그렇게나 압도적인 이유는 무엇일까? 새로운 거대한 항공기에 강력한 신형 엔진을 장착하면, 항공기는 오랜 시간 아주 빠르게 멀리까지 날 수 있다. 그 무엇도 그것을 멈출 수 없다. 대공포는 장난감 총 신세가 되어버린다. 적의 전투기는 짜증스럽게 앵앵거리는 작은 벌레 같은 존재가 된다. 이런 종류의 항공기는 철갑을 두르고 앞뒤에 포대를 두어 스스로를 지킬 수 있다. 이렇게 우리는 폭격기 마피아의 첫 번째 원칙에 이르게 된다. "폭격기는 언제나 무사통과!"

두 번째 원칙: 당시까지는 적진에 폭탄을 떨어뜨리는 유일한 방법이 밤을 틈타는 것이라고 생각했다. 그런데 폭격기를 제지할 존재가 없다면 굳이 잠행할 필요가 없다. 폭격기 마피아는 대낮에 공격하기를 원했다.

세 번째 원칙: 대낮에 폭격할 수 있다면 타격 대상을 볼 수 있다. 이제 눈뜬장님 신세에서 벗어날 수 있다. 시야가 확보된다는 것은 폭격조준기를 사용할 수 있다는 의미이다. 대상을 정하고 필요

한 변수를 입력해 장치를 작동시킨다. 쾅!

네 번째와 다섯 번째 원칙: 폭격기가 표적에 가까워지면 적절한 조준을 위해 가능한 한 가까이 지상에 접근해야 한다는 것이 일반적 통념이었다. 하지만 폭격조준기가 있다면 대공포의 사정거리에서 벗어난 높은 고도에서도 폭탄을 투하할 수 있다. "9킬로미터 상공에서 오크통에 폭탄을 떨어뜨릴 수 있다."

고고도high-altitude. 주간daylight. 정밀폭격precision bombing. 이것이 폭격기 마피아들이 앨라배마주 시골에 은신하면서 구상한 것이다.

역사학자 리처드 콘은 폭격기 마피아를 이렇게 묘사했다.

연대 의식이었다. 나는 그것이 거의 '형제애'의 수준까지 갔다고 본다. 이런 신조를 받아들이지 않을 수도 있다. 실제 그런 사람들도 있었다. 형제의 연까지 끊기는 것은 아닐지라도 그들은 의심과 반대에 직면했다.

전술학교에는 클레어 셔놀트Claire Chennault라는 조종사가 있었다. 그는 대담하게도 폭격기 마피아의 교리에 이의를 제기했다. 그들은 그를 그곳에서 쫓아냈다.

콘은 이야기를 이어간다. "그들은 반체제적 집단이었다. 그들은 홍보 활동을 벌였다. 일부는 가명으로 공군력을 홍보하는 글을 썼다."

맥스웰에 직접 가보고서야 나는 폭격기 마피아의 비전이 얼마나 과감한지 제대로 파악했다. 현재 그곳은 맥스웰필드가 아닌 맥스웰 공군기지라고 불린다. 항공단전술학교의 후신인 공군대학이 자리한 곳이다. 전 세계에서 온 사람들이 그곳에서 공부하고 있다. 교수진은 국내 최고의 군 역사가, 전술가, 전략가들이다. 어느 날 오후, 나는 폭격기 마피아가 약 100년 전 의견을 개진하던 장소와 지척에 있는 회의실에서 맥스웰의 교수진들과 함께 있었다. 전술학교의 모든 자료는 맥스웰 기록 보관소에 있었고, 나와 이야기를 나눈 역사학자들은 폭격기 마피아의 야전 자료와 강의를 모두 섭렵한 사람들이었다. 그들은 마치 동시대 사람인 것처럼 도널드 윌슨과 해럴드 조지에 대해 이야기했다. 역사학자들은 그들에 대해 알고 있었다. 이 가운데 나를 매료시킨 한 가지 특이한 점이 있었다. 내가 만났던 여러 역사학자는 공군 조종사 출신이었다. 그들은 발달된 전투기와 스텔스 폭격기, 수백만 달러에 이르는 수송기를 직접 조종했었다. 그래서 공군력에 대한 그들의 이야기는 피상적인 것이 아니었다. 그들은 실제로 경험한 것에 대해 이야기하고 있던 것이다.

하지만 1930년대의 폭격기 마피아들은 이론적인 것, 존재하기를 희망하는 것에 대해 이야기하고 있었다. 그것은 그야말로 꿈이었다.

공군대학에서 공군력의 역사를 가르치는 리처드 멀러 Richard Muller 교수는 이렇게 표현한다.

그들이 생각하고 있는 것에 비견되는 어떤 것도 존재하지 않았습니다. 그들은 크랙 코카인crack cocaine을 사용했죠. 항공박물관에 가본다면, 펜서콜라Pensacola[해군기지가 있는 플로리다주 북서부의 도시]나 국립우주박물관National Air and Space Museum 또는 라이트 패터슨 공군기지Wright-Patterson Air Force Base에 가서 이런 상상이 시작된 1930년대 초 전장에 투입했던 비행기들을 본다면 당신은 이렇게 생각할 것입니다. '뭐야, 이 사람들은 마약을 얼마나 많이 했던 거야?'

군 역사가들과 대화를 하면 자신이 몸담은 기관에 대한 그들의 불손한 언행을 목격하는 뜻밖의 즐거움을 맛볼 수 있다. 멀러는 이야기를 이어간다.

그들은 목표를 이룰 것이라는 신념을 갖고 있었습니다. 하지만 그 방법은 전혀 몰랐죠. 어디인지는 모르면서도 거기에 이를 것이라고 믿은 것입니다. 그때, 그 장소에서라면 그리 터무니없는 일이 아니었습니다. 거기에서는 이런 종류의 신념을 갖는 것이 불합리한 일이 아니었죠. 이 집단 내부에서 일어난 정말 특이하고도 중요한 일은 기술적인 진보와 소재 개발에 대한 강한 믿음이었습니다. 적절한 비행기를 손에 넣게 될 것이라는 믿음이었죠. 그들은 10년 만에 B-9에서 B-10으로, 또 B-12, 이어 B-15의 원형과 B-17, B-29에 이르렀습니다. 생각해보면 정말 놀라운 일입니다.

21세기형 예배당

이쯤 되니 폭격기 마피아의 생각이 얼마나 급진적이고 혁명적이었는지를 내가 잘 설명한 것인지 꽤나 염려스럽다. 그러니 여기서 잠깐 옆길로 새서 이야기를 덧붙이는 것을 용서해주기 바란다. 내가 무척이나 좋아하는 책《전쟁의 가면The Masks of War》이야기이다. 이 책의 저자인 정치학자 칼 빌더Carl Builder는 제2차 세계대전 이후 펜타곤의 외부 연구 기관 역할을 하기 위해 캘리포니아주 샌타모니카에 만들어진 싱크탱크 랜드 코퍼레이션RAND Corporation에서 일했다.

빌더는 미군에서 뻗어 나온 세 개의 큰 가지가 지닌 문화들이 각기 얼마나 다른지 이해하지 못하고서는 그들이 어떻게 움직이고 결정을 내리는지도 이해할 수 없다고 말한다. 그는 이 점을 확인하려면 각 군 사관학교 교내에 있는 예배당을 살펴보라고 권한다.

미 육군 장교들을 키워낸 유서 깊은 훈련장 웨스트포인트West Point 사관학교의 예배당은 허드슨강 위의 가장 높은 지대에 서서 학교의 스카이라인을 압도하고 있다. 이 예배당은 1910년 웅장한 고딕 복고 스타일로 지어졌다. 오로지 어두운 회색 화강암으로만 만들었으며 창은 좁고 길다. 이 건물은 견고하고, 꾸밈없고, 흔들리지 않는 중세 요새의 힘을 가지고 있다. 빌더는 이렇게 말한다.

"이곳은 서로와 그리고 그들을 키워낸 땅과 가까운 사람들이 간단한 의식을 치르는 데 적합한 조용한 장소다."**6**

이것이 바로 육군이다. 애국심 강하며 국가에 대한 봉사에 뿌리를 둔 군대인 것이다.

해군사관학교 예배당은 아나폴리스Annapolis에 있다. 웨스트포인트 예배당과 거의 비슷한 시기에 지었으나 훨씬 더 크고 웅장하다. 아메리칸 보자르beaux-art[신고전주의 양식이 프랑스 국립미술학교 에콜 데 보자르에 유입되어 새롭게 정립된 구성 중심의 예술 사조] 스타일의 이 건물에는 파리 앵발리드Invalides의 군 예배당 디자인을 기반으로 한 거대한 돔이 있다. 거대한 스테인드글라스 창문을 통해 들어온 빛이 섬세하고 화려한 내부를 비춘다. 오만하고, 독립적이며, 세계적 규모의 확고한 야심을 품고 있는 대단히 해군다운 장소이다.

이 두 건물을 콜로라도스프링스에 있는 공군사관학교 생도들의 예배당과 비교해보자. 이것은 완전히 다른 세상의 건물이다. 1962년 완공했지만 지난달에 지었다는 얘기를 들어도 사람들은 아마 "미래지향적인 건물이군요!"라는 반응을 보일 것이다. 공군의 예배당은 전투기 편대를 코가 하늘로 향하도록 도미노처럼 줄지어 세워둔 모습이다. 귀를 멍하게 만드는 '쉭' 하는 소리를 내며 당장이라도 날아오를 것 같다. 예배당 내부에는 24개의 다른 색상을 가진 2만 4,000개 이상의 스테인드글라스 조각이, 앞쪽에는 프로펠러 모양의 가로대가 달린 가로 3.7미터 세로 14미터의 십자가가 있다.

외부에는 일요일 아침 예배에 들른 조종사가 급히 대어둔 것처럼 네 대의 전투기가 멋지게 서 있다.

이 예배당을 건축한 사람은 월터 네치Walter Netsch라는 시카고 출신의 뛰어난 모더니스트였다. 그에게는 공군이 스텔스 전투기를 만드는 사람들에게 부여하곤 했던 것과 같은 창작의 자유와 무제한의 예산이 주어졌다.

1995년 인터뷰에서 네치는 이 의뢰에 대해 이렇게 회상했다.

> 저는 대단히 부푼 기분으로 집에 돌아왔습니다. '어떻게 하면 이런 기술 시대에 샤르트르Chartres[프랑스 북서부에 있는, 고딕 양식의 샤르트르 성당으로 유명한 도시]와 같은 영감을 주는 것을 만들 수 있을까?' 그 후 저는 여기 시카고에서 엔지니어들과 사면체, 그리고 사면체들을 조합하는 문제를 연구하면서 이 건물의 아이디어를 얻었습니다.[7]

공군이 콜로라도 언덕 한가운데에 알루미늄과 강철을 이용해 수직으로 세워둔 전투기 모양의 예배당을 건설했다는 것이 어떤 이야기를 들려준다고 생각하는가? 칼 빌더는 그의 책에서 이런 의문을 던진다. 그의 결론은 이렇다. 공군은 자기들을 군의 오랜 가지, 즉 육군이나 해군과 가능한 한 차별화되기를 필사적으로 원하는 사람들의 집단이다. 또한 공군은 유산이나 전통에는 전혀 관심이 없다. 오히려 그들은 현대적이길 원한다.

네치는 공군사관학교 예배당 전체를 2미터짜리 사면체 모듈을 이용한 피라미드로 설계했다. 공군은 새롭게 시작하고, 새로운 방식으로 전쟁을 치르고, 오늘의 전투를 위해 준비를 갖추고자 하는 사람들의 것이었다. 그들은 펠로폰네소스전쟁이나 트라팔가르 해전을 연구하는 데 시간을 투자하지 않는다. 공군은 내일에 집착한다. 기술을 통해서 공군이 어떻게 내일에 대비할 것인가에 집착한다. 네치의 예배당에는 건립 이후 어떤 일이 일어났을까? 갖가지 구조적인 문제가 있었다. 당연한 일이었다! 혁신적인 컴퓨터 코드가 그렇듯이 그 건물에는 버그를 잡는 후속 작업이 필요했다.

네치는 설명한다.

새로운 기술에는 문제가 따르곤 합니다. 갑자기 누수가 시작되었습니다. (우리는) 콜로라도스프링스로 날아가 싸구려 모텔을 잡고는 비가 오기를 기다렸습니다. 비가 오면 우리는 예배당으로 달려갔죠. 규모가 큰 건물이기 때문에 내부의 어디에서 누수가 되는지 찾아야 했죠. 저는 보고서를 써야 했습니다. 이런 누수에 몹시 상심했던 저는 거기에 〈공군사관학교 예배당의 물 이동에 대한 보고서 A Report on Water Migration on the Air Force Academy Chapel〉라는 이름을 붙였습니다. 당연히 이런 완곡한 어법에 대해 농담조의 빈정거림이 들려왔습니다. 어쨌든 우리는 바람이 불면 사면체들이 제각기 움직인다는 것을 발견했습니다. 그곳은 바람이 심하며, 그 건물은 여러 면에서 바람을 받습니다. 길이가 길기 때문에 한쪽 끝과 다른 쪽 끝의 상황이 서로 다릅니다. 모든 유리는 그것들을 연결하고 있는 조인트joint를 거칩니다.

결국 유리창 위로 큰 플라스틱 커버를 만들어 덮어서 문제의 여러 근원을 제거해야 한다는 결정을 내렸습니다. 작은 유리 조각들을 끼운 창틀에서 모든 일이 시작되었고, 그곳으로 물이 바로 스며들었기 때문이죠. 그래서 이 긴 플라스틱 패널을 집어넣었습니다. 그것이 주된 문제를 제거하는 데 큰 몫을 했습니다.[8]

정말 공군다운 일이다. 20세기 중반에 21세기형 예배당을 만들다니! 시대를 크게 앞서가기 때문에 기상학 패턴의 재분석에 기초한 공학적 대안을 찾아야 하는 건물을 말이다. 이런 급진적이고 새로운 사고방식은 도대체 어디에서 비롯되었을까? 그것은 1931~1941년 지적 돌풍의 중심이었던 항공단전술학교에서 비롯되었다. 그 세미나실과 늦은 밤의 논쟁에서, 현재 공군의 문화가 탄생한 것이다. 그들은 전쟁을 하늘로 가져갔다. 그리고 해군과 육군보다 훨씬 앞서갔다. 공군사관학교 예배당의 제단에 서서 천장으로 치솟은 알루미늄 늑재肋材들을 바라보면 알 수 있을 것이다.

그사이 해군사관학교에서는 무슨 일이 일어나고 있었을까? 그들은 예배당의 황동 난간에 손수 광을 내고 있었다.

초크 포인트

모든 혁명 집단이 그렇듯 폭격기 마피아는 그 본질을 규정하는 전설, 기원 설화를 가지고 있다. 모든 전설과 마찬가지로 정확하지는 않지만 대체로 이런 식으로 전개된다.

1936년 세인트 패트릭 데이St. Patrick's Day, 피츠버그에 홍수가 났다. 대단히 충격적인 사건이었다. 피츠버그는 두 개의 다른 강(머낭거힐러강과 앨러게니강)이 합쳐져 형성된 큰 강(오하이오강)의 발원지에 위치한다는 특징을 갖고 있다. 그날은 두 강 합류점의 물이 불어나 크게 범람했다.

공군은 지상을 기반으로 한 재해에는 관여하지 않는 것이 보통이다. 허리케인이나 뇌우라면 모를까. 홍수는 육군이 걱정해야 할 종류의 것이다. 하지만 피츠버그 홍수의 이상한 결과는 맥스웰 필드에서 시작된 혁명에 극적인 영향을 미쳤다. 그 일은 물이 불어나 하천 제방을 따라 있는 수백 개의 건물이 파괴되었는데, 그중에 해밀턴 스탠더드Hamilton Standard라는 회사 소유의 공장이 있었다는 사실과 관련이 있다. 가변 피치 프로펠러variable-pitch propeller는 당시 대부분 비행기의 기본 장비였는데, 이 프로펠러를 만드는 데 사용하는 스프링의 미국 최대 제조업체가 바로 해밀턴 스탠더드였다. 해밀턴 스탠더드가 가변 피치 프로펠러 스프링을 만들 수 없었기 때문에 아무도 가변 피치 프로펠러를 만들 수 없었고, 아무도 가변 피치 프로펠러를 만들 수 없었기 때문에 아무도 비행기를 만들 수 없었다.

피츠버그 홍수는 1936년 항공업계 전체를 마비시켰다. 스프링이 없다는 이유로 항공 사업 자체가 마비되었다.

앨라배마의 폭격기 마피아는 해밀턴 스탠더드에 어떤 일이 일어나는지 지켜보았다. 그들의 눈이 반짝였다. 폭격기 마피아 멤버 도널드 윌슨은 누구보다 긴 시간을 투자해 스프링 공장에 대해서 생각했다. 피츠버그에서 벌어진 일로 그는 깨달음을 얻었다. 전쟁의 전통적인 정의는 적에 맞서 군사력을 총동원해서 적국 정치 지도자들의 항복을 받아내는 것이었다. 하지만 윌슨은 군이 그럴 필요가 있을까 하는 생각을 했다. 피츠버그의 프로펠러 스프링 공장만 제거해도 공군은 심각한 손상을 입는다. 그런 식의 핵심 목표물을 10여 개 찾을 수 있다면(그는 이런 목표물을 '초크 포인트 choke point'라고 불렀다), 그런 목표물의 폭파만으로 온 나라를 마비시킬 수 있을 것이다. 이후 윌슨은 폭격기 마피아에서 가장 유명한 사고실험을 고안했다. 그들이 할 수 있는 것은 오로지 머릿속에서 이루어지는 '사고실험뿐'이었다는 것을 기억하라. 그들은 실제 폭격기를 가지고 있지 않았다. 실제적인 적도 없고 실제적인 자원도 없었다. 그저 공상이었을 뿐이다.

이 사고실험에서 윌슨은 북동부의 제조업 중심지를 표적으로 삼았다.

이런 일의 이론화를 시작할 때 … 우리는 잠재적인 어떤 적의 항공 정보도 갖고 있지 않았습니다. 우리에게 있는 것은 … 적의 영향권 내에 있는 부대뿐이었습니다. 이 개념을 분명히 보여주기 위해 우리는 적이 캐나다에 주둔해서 미국 북동부 산업 지대를 유효하게 타격할 수 있는 상황이라고 가정했습니다.[9]

즉 이 사고실험에서 적은 캐나다에 있다. 토론토라고 가정해 볼까? 토론토는 뉴욕시에서 직선거리로 550킬로미터 떨어져 있다. 폭격기 마피아들이 꿈꾸던 비행기로 쉽게 이를 수 있는 범위에 있는 것이다. 토론토에서 내려오는 폭격기 부대의 폭격 작전 한 번으로 뉴욕은 어떤 피해를 입게 될까?

그들은 1938년 4월 이틀간 전술학교에서 실시한 프레젠테이션을 통해 이 문제의 답을 얻기 위해 애썼다.

나는 역사학자 로버트 페이프Robert Pape와 이 사고실험에 대해 이야기를 나누었다. 그는 《승리를 위한 폭격Bombing to Win》이라는 책을 통해 항공단전술학교가 가르쳤던 여러 아이디어의 근원을 다루었다. 페이프는 이 프레젠테이션에 대해 이렇게 묘사했다.

그들이 집중한 폭격 대상은 첫째, 교량이었습니다. 둘째는 송수로였습니다. 송수로 폭격이 중요한 것은 그들이 뉴욕시에 엄청난 물 부족을 유발하고자 했기 때문입니다. 그들은 기본적으로 사람들이 마실 식수가 거의 없는 상황을 만들고자 했습니다. 이후 세 번째로 그들은 전력을 표적으로 삼았습니다.

그들은 폭격의 심리 작용에 대해서는 조사하지 않았습니다. 폭

어떤 선택의 재검토

격의 사회학에 대해서도 조사하지 않았습니다. 심지어는 폭격의 정치학, 즉 폭격이 인구·사회·정부에 미칠 영향에 대해서도 조사하지 않았습니다. 당시 그들은 폭격 기술, 폭격수가 어떤 표적을 타격할 수 있는가에만 집중했습니다.

프레젠테이션은 폭격기 마피아의 핵심 구성원 뮤어 페어차일드Muir Fairchild가 진행했다. 페어차일드는 상수로가 가장 확실한 표적이라고 주장했다. 뉴욕시의 상수로 시스템은 길이가 148킬로미터였다. 다음으로는 전력망이 있었다. 페어차일드는 학생들에게 차트를 보여주었다. "공중 투하 폭탄 vs. 뉴욕시 지역 전력 견인."

페어차일드는 이런 결론을 내렸다. "정확한 장소에 떨어진다는 전제 아래 폭탄 17개면 뉴욕 대도시권 전체의 전력을 사실상 모두 제거할 수 있을 뿐만 아니라 외부 전력의 동원까지 막을 수 있다."[10]

단 17개의 폭탄! 도시 전체에 폭격을 하는 것이 일반적인 통념이던 때였다. 여러 차례의 폭격 공격을 통해 도시를 돌무더기로 만들어버리는 것이다. 페어차일드 주장의 요점은 정보와 노든 폭격 조준기의 마법 같은 능력을 이용해서 한 번의 공습으로 도시를 마비시킬 수 있다면 굳이 비용이 많이 들고 위험한 공격을 감행할 이유가 있느냐는 것이었다. 페이프는 내게 이렇게 말했다.

그들은 폭격기만으로 혹은 공군력만으로 전쟁에서 이길 수 있다는 생각을 하고 있었습니다. 공군력으로 전쟁을 승리로 이끌고, 몇 해에 걸쳐 적과 충돌을 거듭하며 참호 궤멸 작전 속에서 수백만 명이 목숨을 잃은 제1차 세계대전에서와 같은 대학살을 막을 수 있다고 생각한 것입니다.

도널드 윌슨이 농담 반 진담 반으로 맥스웰에서 어떤 일이 벌어지는지 육군이 알았더라면 폭격기 마피아를 전부 영창으로 보냈을 것이라고 말한 이유를 알겠는가? 이 사람들은 육군의 일부였으나 나머지 육군을 쓸모가 없고 한물간 존재처럼 취급하고 있었다. 캐나다 국경에 대포와 탱크를 비롯해 상상할 수 있는 각종 무기를 완비한 수십만 병력이 있더라도, 폭격기가 그 위를 날아서 모든 재래식 방어 체계를 뛰어넘고, 일선에서 몇백 킬로미터 떨어진 곳을 주의 깊게 선정해 몇 차례 공습함으로써 적에게 심각한 손상을 줄 수 있다는 것이다.

미 육군대학원 국가안보학과 교수 타미 비들은 폭격기 마피아의 심리를 이런 식으로 설명한다.

미국의 기술에 대한 환상이 있었다고 봅니다. 이 모든 것에는 강력한 도덕적 요소가 자리하고 있습니다. 전쟁에서 싸울 방법을 찾되 도덕적인 국가, 이상과 이념의 나라, 개인의 권리에 대한 헌신, 인간 존중의 나라라는 미국의 명성을 더럽히지 않는 깔끔한 방법을 찾고자 하는 욕구가 있었던 것 같습니다.

폭격기 마피아는 그 불길한 이름과 달리 그리 큰 규모가 아니었다. 많아야 십수 명 정도에 불과했고 대개가 맥스웰필드의 그 조용하고 그늘진 거리에서 걸어서 드나들 수 있는 지역에 살았다. 전술학교 자체도 그리 큰 시설은 아니었다. 수 세대에 걸쳐 육군 장교를 배출해온 웨스트포인트와는 딴판이었다. 운영한 20년 동안, 전술학교를 졸업한 학생은 겨우 1,000명 남짓했다. 제2차 세계대전이 발발하지 않았다면, 이 작은 집단의 이론과 꿈은 역사 속으로 사라져버렸을 확률이 높다.

하지만 히틀러가 폴란드를 공격했고, 영국과 프랑스가 독일을 상대로 선전포고를 했으며, 1941년 여름에는 모두가 미국 역시 곧 전쟁에 나설 거라고 생각하게 되었다. 한 나라가 전쟁을 시작하면, 강력한 공군력이 필요한 것은 자명하다. 그렇다면 강력한 공군력이란 무엇을 의미할까? 얼마나 많은 비행기가 필요할까? 이런 질문에 답하기 위해 워싱턴의 육군 고위 지휘부는 절박한 심정으로 그 해답을 갖고 있을 법한 유일한 전문가 집단을 불러들였다. 앨라배마주 맥스웰필드에 있는 전술학교의 교관들을 말이다.

이렇게 해서 폭격기 마피아는 워싱턴으로 갔고, 미국이 공중전에서 한 모든 일의 본보기가 된 놀라운 문서를 내놓았다. 문서의 제목은 〈AWPD-1 Air War Plans Division One〉이었다. 이 문서는 미국에 필요한 항공기(전투기, 폭격기, 수송기)가 어느 정도인지 극히 상세히 제시했다. 얼마나 많은 조종사와 몇 톤의 폭발물이 필요한지는 물론 초크 포인트 이론에 따라 선정한 이 모든 폭탄의 독일 표적, 즉

50개의 발전소, 47개의 수송망, 27개의 석유 정제소, 18개의 항공기 조립 공장, 6개의 알루미늄 공장, 6개의 '마그네슘 공급원'도 포함되었다. 이 놀라운 기획 작업은 시작부터 마칠 때까지 단 9일이 걸렸다. 기회가 오기만을 기다리며 앨라배마주에 은둔해 10년을 보내지 않고서는 불가능한 종류의 초인적 개가였다.

폭격기 마피아는 전쟁에 대한 만반의 준비를 갖추고 있었다.

3장

"He was lacking in the bond of human sympathy."

사이코패스: 유대감이 결여된 사람들

"그에게는 인간적인 공감에서 나온 유대감이 결여되어 있다"

주간 고고도 정밀폭격

영국군 모터사이클 전령이 런던 외곽 캐슬컴 Castle Combe에 있는 내 숙소를 찾아왔다. 그가 전달한 메시지는 햅 아널드 Hap Arnold 장군이 보낸 것이었다. 해독한 내용은 "내일 아침 카사블랑카에서 나와 만나세"였다.

-제8공군 사령관 아이라 에이커 Ira Eaker

모로코(당시 프랑스령)의 카사블랑카는 1943년 윈스턴 처칠 Winston Churchill과 프랭클린 루스벨트의 비밀 회담 장소였다. 전쟁은 막 연합군의 우세로 돌아서는 참이었고, 두 정상은 만나서 마지막 승리의 장을 어떻게 장식할지 계획할 예정이었다. 두 사람 모두 군 고위 장교들을 대동했다. 루스벨트 쪽에는 미국 공군력 전체를 통솔하는 햅 아널드 장군이 포함되어 있었다. 회담 도중에 아널드는 가장 중요한 자리를 맡은 부관에게 급전을 보내 위급함을 알렸다.

아이라 에이커는 맥스웰필드 육군항공단전술학교에서 두각을 나타낸 졸업생이었다. 에이커는 폭격기 마피아의 창립 멤버이자 '주간 고고도 정밀폭격'의 신실한 신자였다. 제8공군은 핵심 전쟁 계획인 〈AWPD-1〉에서 개략한 모든 표적물을 타격하는 임무를 갖고 영국에 주둔 중이었고, 이 폭격기 부대의 사령관이 아이라 에이커였다.

에이커가 받은 메시지는 "지금 당장 카사블랑카로 오라"는 것이었다.

에이커는 이렇게 회상했다.

그들은 카사블랑카 회담을 철저히 비밀에 부쳤기 때문에 저는 그게 무슨 의미인지조차 알지 못했습니다. 하지만 그 지시에 따르는 편이 좋겠다는 생각이 들었습니다. 저는 폭격대 사령관이던 프레더릭 루이스 앤더슨Frederick Louis Anderson에게 전화를 걸어 말했습니다. "오늘 밤 보빙턴Bovington에서 B-17로 나를 카사블랑카에 데려다줄 사람을 수배해줘. 내일 아침 해가 뜬 직후에 도착해야 해."

에이커는 카사블랑카에 도착하자마자 아널드 장군의 숙소로 갔다.

아널드 장군은 "자네에게는 좋지 않은 소식일세. 총리의 압력 때문에 대통령이 주간 폭격을 중단하는 데 막 동의한 참이야. 자넨 이제 RAF와 야간 폭격에 참여해야 하네"라고 말했습니다.

RAF는 영국 공군Royal Air Force을 말한다. 에이커와 맥스웰필드 동문들의 마음을 사로잡았던 아이디어가 대서양 반대편에서는 같은 영향력을 발휘하지 못했다. 영국인들은 정밀폭격에 대해 회의적이었다. 그들은 노든 폭격조준기와 사랑에 빠진 적이 없었다. 9킬로미터 상공에서 피클 통에 폭탄을 떨어뜨릴 수 있다는 가능성에 혹한 적도 없었다. 폭격기 마피아들은 솜씨 좋게 송수로와 프로펠러 스프링 공장을 제거해 적에게 경제적 손상을 입힘으로써 전쟁을 계속할 수 없는 상태로 만들어 그들의 의지를 꺾을 수 있다고 말했다. 그들은 현재의 폭격 기술이 전쟁의 범위를 좁힐 수 있게 해주었다고 믿었다. 영국인들은 그렇게 생각지 않았다. 그들은 폭격기 부대를 보유하는 데 따르는 이점은 전쟁의 범위를 '넓힐' 수 있는 것이라고 생각했다. 그들은 이것을 '지역폭격area bombing'이라고 불렀다. 특정한 목표를 두지 않는 폭격 전략을 완곡하게 돌려 말한 것이다. 부술 수 있는 것은 다 부순 뒤 집으로 돌아오는 전략이다.

지역폭격은 주간에 이루어지는 것이 아니다. 특별히 겨냥하는 것이 없다면 시야를 확보할 필요가 없지 않은가? 요컨대 지역폭격은 명백히 민간인을 겨냥했다. 주택가를 공격하고 매일 밤 파상 공세를 '해야 했다'. 적의 도시를 가루로 만들 때까지. 그러면 적의 의지가 꺾일 대로 꺾여서 결국은 포기하게 될 것이다. 자신들이 하고 있는 일에 대해 좀 더 완곡한 표현을 원한 영국인들은, 거기에 '사기 폭격morale bombing'이란 이름을 붙였다. 적국의 집과 도시를 파괴하고 적의 인구를 절망적인 상태까지 줄이려는 의도의 폭격인 것이다.

영국인들은 미국의 폭격기 마피아들이 미쳤다고 생각했다. 목표물 타격이 그토록 어려운데 위험한 주간 비행을 감행하는 이유가 뭐란 말인가? 전쟁에서 승리하려고 기를 쓰는 영국인들의 눈에는 미국인들이 철학 세미나라도 열고 있는 것처럼 보였다.

카사블랑카에서 처칠은 루스벨트에게 "그 정도면 됐습니다. 이제는 우리 방식을 따르기로 하죠"라고 얘기했다. 극도로 당황한 아널드 장군은 유럽 사령관 아이라 에이커를 호출해 나쁜 소식을 전했다. 지역폭격이 승기를 잡았다고 말이다.

하지만 아이라 에이커는 폭격기 마피아 멤버였다. 그는 쉽게 포기하려 하지 않았다.

저는 말했습니다. "장군, 그건 말이 전혀 안 됩니다. 우리 비행기들은 야간 폭격 장비를 갖추고 있지 않습니다. 장병들은 야간 폭격 훈련을 하지 않았고요. 이 안개 낀 섬에서 어둠 속 비행을 한다면 독일 내 표적을 주간에 공격하는 경우보다 많은 장병을 잃게 될 겁니다. 이런 종류의 실수를 할 거라면 저는 제외해주십시오. 저는 하지 않을 겁니다." 그가 말했습니다. "자네가 그렇게 나올 거라고 생각했네. … 자네가 설명한 이유는 나도 자네만큼 잘 알고 있어. 하지만 … 그렇게 강경한 입장이라면 내일 아침 총리와 약속을 잡을 수 있는지 알아보지."

에이커는 본부로 돌아가 뜬눈으로 처칠에게 어떻게 대응해야
할지 구상했다. 처칠이 서류를 한 페이지 이상 읽지 않는다는 것은
누구나 알고 있는 사실이었다. 그 때문에 브리핑briefing은 정말로 브
리프brief(간략)해야 했다. 그리고 물론 설득력이 있어야 했다.

제가 들어간다고 알리자, 나이 든 총리가 계단을 걸어 내려왔습
니다. 높다란 유리창이 있고 밀감밭 사이로 햇살이 비쳐들고 있
었습니다. 그는 휘황찬란한 공군 준장 제복 차림으로 다가왔습
니다. 그에게는 버릇이 있었죠. 저는 그 버릇에 대해 익히 알고
있었습니다. 해군 인사를 만날 때는 해군 제복을, 공군 인사를 만
날 때는 공군 제복을 입는 식이었죠. 총리가 말했습니다. "장군,
아널드 장군 이야기를 듣자니 자네가 주간 폭격을 그만두고 아
서 해리스 사령관 휘하 영국 공군과 함께 야간 폭격에 참여하라
는 내 요청에 불만이 크다면서?" 내가 말했습니다. "그렇습니다,
총리님. 제가 불만을 가질 수밖에 없는 이유들을 여기 한 페이지
로 정리해왔습니다. 저는 영국에서 꽤 오래 복무했기 때문에 총
리님께선 논란이 있는 경우 결정을 내리기 전에 양쪽의 말에 귀
를 기울이신다는 것도 잘 알고 있습니다." 그러자 그는 소파에 앉
아 서류를 집어 들고 저를 옆에 앉힌 뒤 서류를 읽기 시작했습니
다. 노인들처럼 입으로 웅얼거리며 서류를 읽었습니다.

어떤 선택의 재검토

그래서 에이커는 서류에 뭐라고 적은 것일까? 그가 제시할 수 있는 가장 기본적인 논거였다. "나는 영국이 야간에 폭격을 하고 미국은 주간에 폭격을 한다면 온종일 폭격을 해서 적을 숨 돌리지 못하게 만들 수 있다고 말했습니다."

서류의 그 부분에 이르자 처칠은 혼잣말로 그 문장을 다시 읽었다. 논리를 이해하려고 노력하려는 듯이 말이다. 그러고는 에이커에게 고개를 돌렸다.

총리는 말했습니다. "아직은 자네가 옳다고 나를 설득하지 못했네. 하지만 입증할 기회를 가져야 한다는 점은 설득했어. 오늘 점심에 루스벨트 대통령을 만나면 미군이 RAF와의 야간 폭격에 참여했으면 한다는 요청을 철회하고 한동안 주간 폭격을 계속하도록 하자고 얘기하겠네."

미국은 유예를 얻어냈다. 간신히.

영국의 마피아

이 순간 아이라 에이커, 헤이우드 핸셀, 해럴드 조지, 도널드 윌슨 외 육군항공단전술학교 출신 폭격기 마피아의 입장을 생각해 보자. 그들은 나치를 무너뜨리기 위해 가장 가까운 우방과 협력하고 있었다. 그런데 동맹국이 치열한 전투 속에서 자신들이 이룬 개념적 진보를 이해하지 못하는 것처럼 보인다.

처음 영국에 도착했을 때 에이커는 영국 공군에서 동일한 지위에 있는 아서 해리스의 집에서 지냈다. 아서 해리스는 폭격기 해리스Bomber Harris로 더 유명했다. 그들을 매일 아침 함께 차를 타고 하이위컴High Wycombe에 있는 폭격 사령부로 갔다.

역사학자 타미 비들은 이렇게 설명한다.

이상한 일이었다. 아이라 에이커와 아서 해리스의 폭격 원칙은 정반대였다. 하지만 그들은 급속도로 가까워졌다. 그들은 서로를 진심으로 좋아했다. 사실, 언젠가 해리스는 에이커에게 아내 질Jill과 자신에게 무슨 일이 생기면 딸인 재키Jackie를 맡아주었으면 한다고 말하기까지 했다. 딸아이의 대부가 되어줬으면 한다고 말이다. 대단히 흥미로운 관계였지만 작전은 완전히 다른 방식을 취했다.

'사기폭격'에 대한 해리스 중장의 굳은 신념은 에이커에게 거슬렸을 것이 분명하다. 불쾌하게까지는 아니더라도 당황스럽게는 여겨졌을 것이다. 영국이 방금 겪은 것이 무엇이었는지 생각해보라. 블리츠Blitz[전격전電擊戰]였다. 전격전은 지역폭격의 교과서적인 사례이다. 1940년 9월 4일, 히틀러는 이렇게 선언했다. "한쪽이 무너지는 시간이 올 것이다. 국가사회주의 독일은 무너지는 쪽이 아니다!"1940년 가을, 그는 독일 폭격기를 영국으로 보냈다. 이들은 우레와 같은 소리를 내며 런던 상공에서 고성능 폭탄 5만 톤과 100만 개 이상의 소이탄을 떨어뜨렸다.

히틀러는 나치가 노동자 계층이 사는 런던 동부를 폭격하면 영국인들의 의지가 꺾일 것이라고 생각했다. 같은 생각을 가졌던 영국은 전격전으로 전쟁의 승기를 내주게 될까 봐 겁을 먹었다. 영국 정부는 300만~400만 명의 런던 시민이 도시를 버리고 피란을 갈 것이라고 예측했다. 당국은 공황장애 환자와 심리적 사상자가 속출할 것에 대비해 런던 외곽의 정신병원들을 인수해두었다.

실제로는 어떤 일이 일어났을까? 별 차이가 없었다! 공황 상태는 일어나지 않았다.

1940년 영국 정부가 만든 영상에서는 상황을 이렇게 묘사하고 있다.

런던은 고개를 들고 머리 위에 있는 밤의 잔재를 털어낸 후 피해 상황을 살폈다. 런던은 밤 동안 피해를 입었다. 링에 선 자가 위대한 전사의 자질이 있는지 어떻게 알 수 있을까? 다운을 당한 후 다시 일어설 수 있는가를 보라. 런던은 매일 아침 그런 일을 해낸다.[1]

정신병원은 군사용으로 전환되었다. 아무도 나타나지 않았기 때문이다. 폭격이 시작된 후 여성과 어린이들이 더러 시골로 피란을 가기는 했지만 사람들은 대부분 도시에 남았다. 전격전이 계속되고 독일의 공세가 거세지는 가운데 영국 당국이 목도한 것은 놀랍게도 용기가 아닌 거의 무관심에 가까운 태도였다.

임피리얼 전쟁박물관Imperial War Museum은 이후 전격전의 여러 생존자를 인터뷰했다. 엘시 엘리자베스 포먼Elsie Elizabeth Foreman도 그중 하나였다. 그녀는 전격전을 이렇게 묘사했다.

이전에는 항상 방공호로 대피했었죠. 하지만 공습이 좀 잦아들자 우리는 다소 심드렁해졌어요. 가끔은 침대를 지켰지만, 여전히 춤을 추러 다니기도 했죠. 공습이 있을 때면 떠나고 싶은 사람은 떠나고, 그런 식이었죠. 영화도 마찬가지였어요. 영화관에 갔을 때는 공습이 있어도 자리에 남아 있었죠. 두 번 폭격을 당하지 않는 이상 움직이거나 나오지 않았어요. 첫 번째 폭격에는 자리를 뜨지 않았어요.

여동생이 집에 와서 현관에 있는 유리를 쓸고 있었죠. 유리가 현관으로 들어와 있었거든요. 동생이 유리를 차도 쪽으로 쓸어냈어요. 그때 언니가 집 안에서 나왔어요. … 그러니까 공습 중일 때요. 경보가 해제되기 전이죠. 두 사람은 심하게 말다툼을 했어요. 여동생이 언니가 가장 아끼는 하이힐을 신고 있었거든요. 당시에는 이런 물건을 구하기가 정말 힘들었죠. 실크 스타킹도 마찬가지고요. 폭탄이 사방에 떨어지고 있는데, 두 사람은 구두 때문에 입씨름을 하면서 유리를 쓸어내고 있었어요.[2]

어떤 선택의 재검토

사람들은 누구의 예상보다 강했고 뛰어난 회복력을 보여주었다. 밤낮 폭탄을 떨어뜨려도 공습을 받은 사람들이 포기하거나 신념을 잃는 일은 일어나지 않는다는 것이 드러났다. 오히려 당신을, 적을 더 미워하게 만들 수 있다. 지역폭격 옹호론자들은 폭격의 효과를 묘사할 때 사람들을 집에서 쫓아낸다는 퇴거dehousing란 기만적인 용어를 사용하곤 했다. 이 단어만 보면 마치 집에 사는 사람은 건드리지 않고 집만 파괴할 수 있는 듯하다. 하지만 집이 사라지면 정부에 반감이 생기기보다는 정부에 더 의존하게 되지 않을까?

역사학자 타미 비들은 지역폭격을 장기적 시각에서 본다.

"저는 폭격의 역사에서 이런 것을 수차례 목격했습니다. 표적, 그러니까 지금 얘기하고 있는 장기적인 대량 폭격의 표적이 된 국가들은 결국엔 심한 고통을 흡수할 방법을 찾았습니다. 정말 그렇게 하기로 마음만 먹는다면 불가능한 일이 아니었죠."

전격전의 생존자 실비아 조앤 클라크Sylvia Joan Clark는 독일인들이 전쟁에서 이길 것 같다고 생각한 적이 있냐는 질문에 이렇게 답했다.

아니요. 그렇게 생각해본 적은 없어요. 저는 영국인인 것을 자랑스럽게 생각하고 독일이 절대 우리를 이길 수 없을 거라고 생각해요. 절대로요. 제가 열심히 맡은 일을 하고 사람들을 도우면 결국엔 우리가 이길 수 있을 것이란 생각을 늘 가지고 있었어요. … 사람들에게도 이렇게 말하곤 했죠. 낙심하고 있어봐야 무슨 소용이 있겠어요. 저에게는 집이 있었어요. 어머니가 계셨고 아버지가 계셨죠. 하지만 지금은 그들을 잃었어요. 저는 아무도 저를 무너뜨릴 수 없다고 굳게 마음먹었죠. 저는 살아남을 거예요. 열심히 일할 테고, 영국이 다시 일어설 것이라는 신념과 자부심을 잃지 않을 겁니다.[3]

피해가 집계되었다. 사망자는 4만 3,000명, 부상자는 1만 명이 넘은 것으로 드러났다. 100만 채 이상의 건물이 손상 또는 파괴되었다. 하지만 작전은 성공하지 못했다. 런던에 대해서도 런던 사람들에 대해서도. 작전은 그들의 사기를 꺾지 못했다. 그런 교훈에도 불구하고 겨우 2년 뒤, 영국 공군은 독일을 상대로 똑같은 일을 하자고 제안했던 것이다.

아이라 에이커는 그와 RAF의 해리스 중장이 같이 사는 동안 이에 대해 토론(내 짐작에는 토론보다는 논쟁이 더 어울리는 단어가 아닐까 싶지만)한 적이 있다고 말했다. 그들은 깊은 밤까지 이야기를 이어갔다. 한 번은 에이커가 해리스를 보며 날카롭게 지적했다.

"저는 해리스에게 런던 폭격이 영국인들의 사기에 영향을 주었냐고 물었습니다. 그는 오히려 그 때문에 정말 열심히 노력하게 되었다고 말했죠. 하지만 독일의 경우에는 반응이 다를 것이라고 생각했습니다. 영국인들과는 다른 인종이기 때문에요."[4]

에이커와 다른 폭격기 마피아들에게, 영국의 태도는 말이 되지 않았다. 시간이 흐른 후에야 그 이유를 이해하게 됐다. 영국에는 그들 나름의 폭격기 마피아가 있었다. 그들은 미국의 폭격기 마피아와 마찬가지로 공군력을 어떻게 사용해야 하는지에 대한 매우 독단적인 일련의 견해를 가지고 있었다. 사실 마피아라는 단어는 그리 적절치 않다. 그룹을 뜻하는 마피아보다는 폭격 마피아단의 일원을 뜻하는 마피오소mafioso에 가깝다. 대부代父. 그의 이름은 프레더릭 린더만Frederick Lindemann이었다.

사디스트와 사이코패스

제2차 세계대전 후 몇십 년 동안, 모든 방면의 학자들이 그 전쟁이 어떤 의미였는지 이해하기 위해 노력했다. 저명한 영국 과학자 스노C. P. Snow도 그중 하나였다. 스노는 전쟁 동안 영국 정부를 위해 일했다. 그는 케임브리지대학의 교수였고, 성공한 소설가였으며, 영국 엘리트 집단에 모르는 사람이 없었다. 1960년 그는 강연을 위해 하버드대학에 왔다. 강연의 많은 부분은 프레더릭 린더만의 이야기에 할애되었다.* 스노는 린더만이 영국이 항공력을 이용하는 방식을 결정하는 데 엄청난 역할을 했으나 인정을 받지 못하고 있다고 생각했다. 그는 영국이 폭격에 대해 가졌던 어리둥절한

---

* 내 팟캐스트 〈수정주의자의 역사〉 시즌 2의 '총리와 교수'에 린더만에 대한 좀 더 상세한 내용이 있다.

태도를 이해하고 싶다면 린더만을 이해해야 한다고 이야기했다.

하버드 강연에서 스노는 이렇게 표현했다.

린더만은 모든 면에서 대단히 예외적이고 대단히 이상한 사람이었습니다. 그는 엄청난 영향력을 갖고 있었죠…. 린더만은 전혀 영국인 같지 않았습니다. 저는 늘 생각했습니다. 중년의 그를 만난 사람이라면 이탈리아의 값비싼 호텔에서 마주칠 법한 중부 유럽 출신의 사업가쯤으로 생각할 것이라고요…. 뒤셀도르프에서 왔으려나? 선 굵은 이목구비에 안색은 창백하고, 항상 옷을 잘 갖춰 입었습니다. 그는 영어만큼 독일어를 잘했고, 실제로 그의 영어에는 독일 억양이 있었죠. 하지만 그것도 잘 들을 수 있어야 할 수 있는 이야기입니다. 그는 늘, 아주 조그맣게 중얼거리며 말했기 때문입니다.

프레더릭 린더만(이후 처웰 경 Lord Cherwell이 되었다)은 1886년 독일에서 태어났다. 그의 아버지는 부유한 독일 엔지니어였고, 어머니는 미국인 상속녀였다. 린더만은 물리학자로 제1차 세계대전 직전 베를린에서 박사 학위를 땄다. 독일이 물리학에서는 세계의 중심이던 시절이었다. 동료들은 그를 아이작 뉴턴 Isaac Newton에 비교했다. 그는 숫자에 대해 탁월한 기억력을 가지고 있었다. 어린 시절 프레더릭은 신문을 읽고 통계를 줄줄이 암송했다. 논쟁에 나섰을 때는 이기지 못하는 사람이 없었다. 그는 알베르트 아인슈타인 Albert Einstein

어떤 선택의 재검토

과도 상당히 많은 시간을 보냈다. 한 번은 저녁 식사 자리에서 아인 슈타인이 그가 도무지 증명할 수 없는 수학적 명제 몇 가지를 언급했다. 다음 날 린더만은 대수롭지 않게 말했다. 답을 구했노라고. 욕조에 앉아서 답을 구했다는 것이었다.

모두가 린더만에 대해 이야기했다. 스노 같은 작가에게는 지나칠 수 없는 이야깃거리였다.

> 그의 열정은 실로 엄청났습니다. … 그 열정은 저로 하여금 발자크Honore de Balzac의 소설에 나오는 과장된 편집광을 떠올리게 했습니다. 그라면 발자크의 멋진 주인공이 되었을 것입니다. 소설가의 손가락을 근질거리게 만드는 인물이라고 할 수 있겠죠.
> 그는 감각적 쾌락을 전혀 즐기지 않았습니다. 누구보다 까다로운 채식주의자였습니다. 그는 채식주의자일 뿐 아니라 채식 식단이라고 여길 만한 것 중에서도 극히 일부만을 먹었습니다. 포르 살뤼 치즈port salut cheese[노란 빛깔의 전유全乳 치즈], 달걀흰자(노른자는 확연히 동물적이었으므로), 올리브 오일, 쌀이 그의 주식이었습니다.

린더만은 별나고 뛰어났다. 하지만 그의 유명세는 대부분 윈스턴 처칠의 친구라는 데에서 비롯되었다. 두 사람은 1921년 웨스트민스터 공작 부처가 주최한 만찬 자리에서 만났다. 처칠은 귀족이었고, 린더만은 대단한 부자였다. 그렇게 두 사람은 같은 부류와 어울리게 되었다. 두 사람은 죽이 잘 맞았다. 처칠 쪽에서 말하자면, 그가 린더만에게 보낸 편지를 몇 장 읽어보면 거의 숭배라 할 만한 마음이 담겨 있는 것을 알 수 있다.

심리학자 대니얼 웨그너 Daniel Wegner 는 분산 기억 transactive memory 라는 멋진 개념을 이야기한다. 우리는 정보를 우리 마음이나 특정한 장소에만 저장해놓는 것이 아니라, 사랑하는 사람들의 마음속에도 기억과 이해를 저장시킨다는 것이다. 당신은 아이가 교사와 가진 정서적 관계를 기억할 필요가 없다. 당신 아내가 기억할 것이기 때문이다. 당신은 재택근무 방법을 기억할 필요가 없다. 당신의 딸이 기억할 테니까. 그것이 분산 기억이다. 우리 자신의 일부가 다른 사람의 마음속에 살고 있는 것이다. 웨그너는 반려자가 죽은 경우 살아남은 사람이 자신의 일부가 그 반려자와 함께 죽었다고 말하는 것을 언급한다. 웨그너는 그 말이 정말이라고 얘기한다. 배우자가 죽으면, 그 사람의 두뇌에 저장해두었던 모든 것이 사라진다.

여기에서 처칠의 성격이 중요한 의미를 갖는다. 그는 큰 그림을 그리고, 앞을 내다보는 사람이었다. 인간의 심리와 역사에 대한 깊고 본능적인 이해력을 갖고 있었다. 하지만 그는 우울증으로 고생했다. 감정의 기복이 심했다. 충동적이며 도박에 빠져 있었다. 그는 숫자에 약했다. 평생 어리석은 투자로 엄청난 돈을 잃었다. 1935년 처칠은 지금 돈으로 6만 달러를 술에 탕진했다. 한 해에 말이다. 총리가 되고 한 달이 지나지 않아 처칠은 파산했다.

분별력이 매우 부족하며, 숫자를 다루는 능력이 없고, 생활에

질서가 전혀 없는 한 남자가 있다. 그런 사람은 누구와 친구가 될까? 절제력이 뛰어나고, 거의 광적인 일관성을 보여주는 사람. 매일 삼시 세끼 똑같은 세 가지 음식을 먹는 사람. 어릴 때부터 신문을 읽고 통계를 줄줄이 거꾸로 암송할 정도로 숫자의 세계를 가장 편안하게 느끼는 사람.

처칠은 정량적인 세계와 관련한 모든 생각을 린더만의 두뇌에 저장했다. 그리고 1940년 전쟁이 터진 직후 총리가 되자 린더만을 옆에 두었다. 린더만은 처칠 내각에서 처칠 정신의 문지기 역할을 했다. 그는 처칠과 콘퍼런스에 갔다. 처칠과 식사를 함께 했다. 린더만은 술고래인 처칠과 식사할 때 외에는 절대 술을 마시지 않았다. 그럴 땐 취하도록 마셨다. 주말이면 처칠의 시골 별장으로 갔다. 사람들은 새벽 3시에 불 옆에 앉아 함께 신문을 읽는 두 사람을 목격했다.

스노는 이렇게 표현한다.

절대적으로 진실하고 대단히 깊은 우정이었습니다. 두 사람은 그에 대해 얼마간의 대가를 치렀습니다. 처칠의 가까운 다른 동료들은 린더만을 몹시 싫어했지만 처칠은 꿈쩍도 하지 않았습니다. 사람들이 린더만을 떼어놓으려 했지만 처칠은 그렇게 놔두지 않았습니다.

처칠을 설득하는 데 린더만이 가장 큰 영향력을 발휘한 주제는 폭격이었다. 린더만은 적의 의지를 꺾을 가장 확실한 방법은 무차별적인 도시 폭격이라는 굳은 확신을 갖고 있었다. 그렇다면 린더만에게는 그런 생각을 뒷받침할 만한 증거가 있었을까? 그렇지 않다. 사실, 그것이 스노의 강연 요지였다. 이 과학적인 사람, 이 지적인 사람이 자신의 주장을 지지하기 위해 사실을 만들어내고 왜곡했다는 점을 보여주는 것이 그 강연의 요지였다.

이런 폭격기를 어떻게 사용해야 할지 제대로 생각해본 사람은 아무도 없었습니다. 그것은 그저 신념에 입각한 조치였습니다. 그것이 전쟁에 임하는 방식이었죠. 린더만은 예의 그 극단적 열정으로 영국의 어떤 사람보다 이 신념에 매달렸다고 말해도 큰 무리가 아닐 것입니다. 1942년 초 그는 이 신념을 행동에 옮기기로 결심했습니다.

미국의 육군항공단전술학교에서는 폭격기 마피아들이 폭탄을 고도로 정밀하게 사용하는 세상을 꿈꾸고 있었다. 린더만은 정반대의 접근법을 내세우기 위해 비상한 노력을 기울였다. 이 접근법에 대해 스노가 할 수 있었던 유일한 설명은 '개인적'이라는 것이었다. 린더만은 사디스트였다. 그는 적국의 도시를 가루로 만드는 데에서 만족감을 느꼈다.

그의 주변에는 뭐라 말할 수 없는 불안한 기운이 떠돌고 있었습니다. 그는 자신의 삶을 잘 이해하지 못하며 중요한 일에 잘 대처하지 못한다는 느낌을 주었습니다. 그는 악의에 차 있었고, 독설가였으며, 밉살맞고 가학적인 유머 감각을 지니고 있었지만, 그럼에도 불구하고 왠지 길을 잃고 있다는 느낌을 풍겼습니다.

린더만의 전기 작가 중 한 명은 그에 대해 이렇게 적었다. "적을 꼼짝 못 하게 할 수 있다면 잘못되었다는 것을 뻔히 아는 논거도 주저하지 않고 이용할 사람이었다."[5]

그의 한 친구는 이렇게 말했다. "그에게는 인간적인 공감에서 나온 유대감이 결여되어 있었다. 자신과 사적인 관계가 없는 사람에 대해서는 항상 그러했다."[6] 린더만은 도덕성을 어떻게 정의하느냐는 질문을 받자 이렇게 답했다. "나는 도덕적인 행동을 친구들에게 유익을 가져오는 일이라고 정의한다."[7]

이를테면 이런 말이다. "나는 사기폭격이라는 행동을 내 친구 윈스턴 처칠에게 유익을 가져다주는 일이라고 정의한다." 린더만이 처칠에게 준 유명한 제안서가 있는데, 스노는 그 문서에 대해 이렇게 설명했다.

영국의 모든 자원을 동원해 폭탄을 만들고, 폭격기 승무원을 훈련시키고, 이 모든 폭격기와 승무원을 독일 노동자계급의 가옥을 폭격하는 데 사용해야 한다고 제안하는 문서였습니다. 여기에는 폭격의 결과가 정량적으로 설명되어 있습니다. 전력을 다

한다면 독일 내 모든 대도시의 노동자계급 주택 중 절반을 파괴할 수 있다는 계산이 나와 있죠. 18개월 안에 인구 5만 이상 모든 도시의 50퍼센트를 파괴한다는 뜻입니다. 린더만에 따르면 가옥의 50퍼센트가 더 이상 존재하지 않게 된다는 것이었습니다.

린더만은 처칠을 설득했다. 처칠은 (아이라 에이커가 처음 영국에 왔을 때 그의 집에 머물렀던) 아서 해리스를 영국 폭격 사령부를 지휘하는 자리에 임명했다. 아서 해리스는 사이코패스였다. 그의 부하들조차 그를 도살자 해리스Butcher Harris라고 불렀다.

그가 사령관 자리에 앉아 처음 한 말 중 하나가 《구약성경》의 음산하고 으스스한 선지자 호세아를 인용한 것이었다.

나치는, 자신들은 모두에게 폭격을 가할 것이고 아무도 자신들에게는 폭격을 하지 않을 것이란 다소 유치한 망상 속에 이 전쟁을 시작했다. … 그들은 바람을 심었고 이제 광풍을 거둘 것이다.[8]

영국의 폭격 작전을 맡은 직후, 해리스는 쾰른시에 대한 대규모 공격을 시작했다. 물론 야간비행이었다. 표적을 확인할 필요가 없으니 당연하지 않은가? 해리스는 독일로 1,000개의 폭탄을 가져가 곳곳에 떨어뜨렸다. 결국 RAF의 작전은 쾰른 중심부의 90퍼센트, 총 240만 제곱미터를 초토화시켰다. 3,000채 이상의 가옥이 파괴됐다.

전쟁 중에 한번은 해리스가 속도위반으로 단속을 당했다. 경찰관이 말했다. "선생님, 너무 빨리 달리셨습니다. 그렇게 운전하시면 사람이 죽을 수도 있습니다."

해리스가 답했다. "얘기가 나왔으니 말인데, 사실 내 직업이 사람을 죽이는 거요. 독일인을 죽이는 게 내 일이지."[9]

세월이 지나 1977년 영국군인방송British Forces Broadcasting Service에서 해리스를 인터뷰했다. 자신의 조치에 대해 생각해볼 시간이 30년 이상 있었던 셈이다.● 그는 가장 악명 높았던 자신의 임무, 즉 드레스덴을 가루로 만든 일에 대해 이야기했으나 한 점의 후회도 비치지 않았다.

사람들은 걸핏하면 이렇게 말하죠. "아, 안타까워라. 그 아름다운 도시가. 그저 도자기 장식품이나 만들던 도시인데. 주름 장식이 있는 치마 차림의 양치기 소녀 말이야." 하지만 사실 드레스덴은 독일의 거점 도시로 성장할 저력을 가진 마지막 도시였습니다. 독일 예비군을 북에서 남으로 옮겨 러시아와 우리 영국군 앞으로 진격시키는 사실상 마지막 길이었습니다.[10]

● 1969년 커트 보니것Kurt Vonnegut은 소설 《제5도살장Slughterhouse-Five》을 발표했다. 이 책은 공상과학소설로 분류되었지만 대부분이 RAF 폭격 작전 동안 드레스덴에서 미국 전쟁 포로로 잡혀 있던 경험을 기반으로 한 것이다. 이 소설은 16주간 〈뉴욕타임스〉 베스트셀러 자리를 지켰다.

해리스는 폭격기를 보내 단 3일 만에 650만 제곱미터에 달하는 드레스덴 중심지를 파괴하고 2만 5,000명의 민간인을 죽였다. 표면적으로는 드레스덴을 통과하는 군의 이동을 막기 위해서였다. 왜 군사 시설이 아닌 민간인을 표적으로 삼았느냐는 질문에 그는 다음과 같이 응수했다.

우리는 특별히 민간인을 노린 것이 아니었습니다. 우리는 독일 군이 전쟁을 계속할 수 있게 해주는 모든 생산을 막는 일을 목표로 했습니다. 폭격 공격이라는 발상 자체가 그 일을 위한 것이었습니다. 이미 언급했듯이 독일 전역의 잠수함 건조 시설과 병기 산업 시설, 그리고 거기에서 일하는 사람들의 파괴도 포함됩니다. 저는 그들 모두가 현역 군인과 다름없다고 생각했습니다. 군수품 생산에 참여한 사람들은 현역 군인으로 취급해야 합니다. 그게 아니라면 어디에 구분을 두어야 합니까?[11]

"저는 그들 모두가 현역 군인과 다름없다고 생각했습니다."
아이도, 어머니도, 노인도, 병원에 있는 간호사도, 교회에 있는 목사도. 더 이상 특정한 목표를 겨냥하지 않는다고 선언하며 선을 넘으려면, 군인 그리고 어린이와 어머니, 간호사 사이에 차이가 없다고 스스로를 설득해야 한다.
폭격기 마피아의 전체적인 논거, 존재의 이유는 선을 넘지 않겠다는 것이었다. 그들은 단지 기술적 논거를 제기하는 것이 아니었다. 그들은 전쟁 수행 방법에 대한 도덕적 논거를 발전시키고 있었다. 정밀폭격의 대부 칼 노든에 대한 가장 중요한 사실은 그가 명석한 엔지니어라거나 못 말리는 괴짜라는 게 아니라 신실한 기독교인이었다는 점이다.

역사학자 스티븐 맥팔런드는 이렇게 표현한다.

그가 인류에 보탬이 되는 일을 하겠다고 생각했다면, 군이 폭격 조준기를 개발해 폭탄을 떨어뜨리는 사람들을 도운 이유가 뭘까 궁금할 겁니다. 그는 폭격을 더욱 정확하게 만듦으로써 생명을 구할 수 있다는 진실한 믿음을 갖고 있었기 때문입니다.

그는 육군과 해군의 말을 진심으로 믿었습니다. 전쟁에서 사람이 아닌 전쟁 기계들을 파괴할 것이라는 이야기를 말입니다. "우리는 제1차 세계대전에서 한 것 같은 일은 하지 않을 것이다. 제1차 세계대전에서 우리는 수백만 명의 군인을 학살했다. 우리는 수백만 명의 민간인을 학살하지 않을 것이다. 우리는 공장과 전쟁 기계들을 날려버리려고 노력할 것이다." 그는 이런 말을 믿었습니다. 그것은 그의 기본적 인생철학, 기독교 정신의 일부였습니다.

정밀폭격을 포기하지 않도록 하기 위해 한밤에 카사블랑카로 날아간 일은 아이라 에이커 사령관의 인생에서 도덕적으로 가장 큰 의미를 가진 행동이었다. 영국의 공군기지로 돌아왔을 때, 그는 이렇게 말했다.

"우리에게는 유럽에서의 전쟁을 위한 새로운 계획이 필요해. 영국에 더 나은 공중전 방법이 있다는 것을 보여줄 그런 계획이."

그런 계획을 만들기 위해 그가 뽑은 사람은 누구였을까? 미국 공군에서 가장 총명하고 유망한 젊은이 헤이우드 핸셀이었다. 괌에서 하루아침에 커티스 르메이에게 자리를 빼앗긴 그 핸셀 말이다.

4장

"The truest of the true believer."

돈키호테:
유혹에도
흔들리지
않는 사람

하늘의 돈키호테

헤이우드 핸셀은 남부의 명문 군인 가문 출신이다. 그의 현조부玄祖父 존 핸셀John W. Hansell은 미국독립혁명에 참여했다. 고조부 윌리엄 영 핸셀William Young Hansell은 1812에 일어난 미영美英전쟁 때 육군 장교였다. 증조부는 남부 연합군의 장성, 조부는 장교였다. 아버지는 흰색 리넨 양복에 파나마모자를 쓰고 저녁 식사 자리에 등장하는 육군 군의관이었다. 헤이우드는 영국군 장교처럼 단장短杖을 가지고 다니는 것을 좋아했다. 모두가 그를 어린 시절 별명인 포섬Possum이라고 불렀다.

핸셀은 키가 작고 호리호리했다. 춤을 잘 췄고, 시를 썼으며, 가극 〈길버트와 설리번Gilbert and Sullivan〉의 광팬이었다. 가장 좋아하는 책은 《돈키호테》였다. 그가 가장 우선하는 것은 비행이었고, 두 번째는 폴로, 가족은 한참 격차를 둔 3순위였다. 그는 신혼 때 아이가 우는 소리를 듣고 아내에게 이렇게 말했다고 한다. "이게 무슨 소리지?" 아내가 대답했다. "당신 아들이잖아요."**1**

파일럿으로서 벨기에를 폭격하는 마지막 전투 임무 때 핸셀은 인기 있는 희가극에 나오는 노래 〈공중그네를 타는 남자The Man on the Flying Trapeze〉를 불러 지친 승무원들을 즐겁게 했다고 한다. 스노의 표현을 빌리면 핸셀은 소설가의 손가락을 근질거리게 하는 부류의 인물이었다.

전시에 전투부대는 고국 국민들이 전쟁의 진전 상황을 알 수 있도록 언론에 성과를 알릴 의무가 있었다. 군에서 발표하는 자료는 진실 위에 지나치게 많은 완곡어법과 정교화, 공격적인 개선 작업을 덧입혀 물에 넣으면 뜨지 않고 가라앉을 지경일 때가 많다. 1944년 12월의 대언론 공식 발표는 이와는 대조적이었다. 핸셀이 괌의 사령부에서 자신의 말을 바로 받아 적도록 지시했기 때문이다. 그는 이렇게 말했다. "모든 폭탄을 우리가 원했던 장소에 정확히 떨어뜨리지는 못했다. 따라서 우리는 지금까지 해온 일에 전혀 만족하지 못하고 있다. 우리는 아직 초기 실험 단계에 있을 뿐이다. 배워야 할 것이 많고, 많은 운영상의 문제와 기술적 문제를 해결해야 한다."**2**

"배워야 할 것이 많다." 핸셀은 이런 사람이었다. 이 모든 것이 그가 불굴의 정직함과 약간의 순진함을 지닌, 근본적으로는 로맨틱한 사람이라는 것을 암시한다. 버지니아주 랭글리필드에 배치되어 있던 시절, 그는 호텔 로비에서 한 젊은 여성 옆을 지나갔다. 텍사스주 웨이코 출신의 도러시 로저스Dorothy Rogers였다. 핸셀은 즉시 일행을 집으로 데려다주고, 호텔로 돌아가 이 젊은 여성과 그 이모의 저녁 식사에 끼어들었다. 도러시 로저스는 그를 성가시다고 생각했고, 핸셀은 그녀가 정말 유쾌하다고 생각했다. 그녀는 텍사스로 돌아갔다. 그는 거의 1년 내내 그녀에게 편지를 보냈다. 그녀는 두 번, 어쩌면 세 번쯤 답장을 썼다. 그들은 1932년 결혼했다.

핸셀이 가장 좋아하는 책이 《돈키호테》라는 게 이해되는 일화이지 않은가. 돈키호테는 기사도 정신을 되살리려는 끊임없는 시도로 유명한 용맹한 인물이다. 돈키호테는 풍차를 공격했고, 끝없는 박탈감에 시달렸고, 상상의 적들과 싸웠다. 돈키호테는 거의 알지도 못하는 여성에게 수백 통의 편지를 보냈다. 그녀는 그를 거의 무시했는데도 말이다. 그렇다고 해도 군인이 돈키호테를 좋아한다는 것은 좀 이상하다. 이 스페인 남자는 이상에 매달렸지만, 그 이상은 결코 실현되지 않았다. 그의 이상은 환상을 바탕으로 했다. 돈키호테는 자신이 세상을 더 나은 곳으로 만들고 있다고 생각했지만 실제로는 그렇지 않았다. 《돈키호테》의 이 단락에 대해 생각해보자. 괌에서의 수모 이후 긴 은퇴 생활 중이던 헤이우드 핸셀은 이 구절을 읽고 자기 인식에 뜨끔했을지도 모를 일이다.

간단히 말해 돈키호테는 책에 완전히 빠져들어서 해가 질 때부터 뜰 때까지 밤 시간 내내, 여명부터 석양까지 낮 시간 내내 탐독했다. 잠을 너무 적게 자고 책을 너무나 많이 읽어서 머리가 너무 메마른 탓에 그는 이지理智를 잃었다. 그의 환상은 그가 책에서 읽곤 했던 것들, 마법, 싸움, 전투, 도전, 상처, 구애, 사랑, 고통, 그리고 온갖 불가능한 허튼소리들로 가득했다. 이런 것들이 그의 마음을 사로잡고 있었기에 그에겐 그가 읽었던 그 모든 발명과 환상이 진실이었고, 세상의 역사는 그 안에서 더 이상 진실이 아니었다.[3]

여기에서 헤이우드 핸셀의 모습을 적지 않게 찾아볼 수 있다. 1931년 젊은 육군 중위 핸셀은 맥스웰필드에 파견되었다. 그는 1935년 항공단전술학교의 교수로 임명되었고, 학교 전체에서 가장 명석한 사람으로 두각을 나타냈다. 영국인들의 회의적인 시선에 맞서 고고도 주간 정밀폭격 정책을 밀고 나갈 사람을 찾고 있던 아이라 에이커가 선택해야 할 사람이 누구인지는 너무나 명확했다. 그건 헤이우드 핸셀, '참된 신자들 중에서도 가장 신실한' 그가 해야 할 일이었다.

왜 볼베어링일까

1967년의 한 강연에서 핸셀은 그가 직면했던 첫 번째 문제에 대해 설명했다. "표적 선정 자체가 대단히 복잡한 문제였습니다. 특정 산업의 파괴가 독일의 전쟁 수행 능력에 미치는 영향을 측정해야 했죠."[4]

핸셀은 영국에 있는 미국 폭격기들이 쉽게 도달해서 쉽게 파괴할 수 있는 표적을 찾아야 했다. 동시에 나치의 전쟁 역량에 대단히 중요해서 잃었을 경우 독일인들이 심각한 '곤란'을 겪는 것이어야 했다. 또한 구체적으로 특정할 수 있는 것이어야 했다. 예를 들어, 독일의 중심 수로*水路인 라인강 철교를 표적으로 삼는 것은 말이 되지 않는다. 라인강에는 수십 개의 철교가 수백 킬로미터에 걸쳐 뻗어 있다. 그것을 모두 공격하자면 병참상의 악몽이 빚어질 것이다.

핸셀은 독일이 영국 코번트리 소재 롤스로이스Rolls-Royce 항공기 엔진 공장을 폭격한 뒤에 어떤 일이 있어났는지 들었다. 공격은 일부만 성공했을 뿐인데 당시 폭격으로 건물 천장의 채광창이 날아가면서 공장 바닥의 부품이 다 드러났다. 그는 이렇게 설명했다.

"비가 왔습니다. 수천 상자의 볼베어링 ball bearing이 녹슬어서 사용할 수 없게 되었죠. 절박하게 필요한 시기에 엔진 제작이 중단되고 말았습니다. 회전 기계rotating machinery는 볼베어링 산업에 극히 민감하다는 것이 더없이 명확하게 드러났죠."**5**

핸셀은 볼베어링이 독일의 아킬레스건이 될 수 있을지 궁금했다.

왜 콕 집어 볼베어링일까? 강철 고리가 기름을 바른 작은 금속 구슬을 감싸고 있는 볼베어링은 모든 기계장치의 핵심 부품이기 때문이다. 예를 들어, 자전거 차축에는 10여 개의 볼베어링이 들어간다. 이들은 자전거 바퀴가 막힘없이 돌게 해주는 미니 강철 롤러 역할을 한다. 좋은 자전거는 수천 달러에 이르며 극히 정교한 최

첨단 소재를 사용한다. 하지만 2~3달러짜리 직경 5밀리미터 볼베어링이 없다면 굴러가지 않는다. 말 그대로 꼼짝도 못 한다. 자동차 엔진도 마찬가지이다. 회전 부품이 들어가는 기계라면 뭐든지 그렇다.

볼베어링은 칼 노든이 첫 번째 원형을 제작할 때도 큰 문젯거리였다. 폭격조준기는 수십 개의 가동부可動部로 이루어진 기계식 컴퓨터였다. 폭격조준기의 계산이 정확하려면 각각의 가동부가 정확한 위치로 정밀하게 회전해야만 했다. 볼베어링의 크기가 일정하지 않거나 완벽하게 매끈하지 않다면 폭격조준기 자체가 엉망이 된다.

역사학자 스티븐 맥팔런드는 노든이 이 문제를 어떻게 다루었는지 설명했다.

"그는 수십 명에게 돈을 지불하고 볼베어링을 하루(혹은 이틀이나 사흘) 내내 닦도록 했습니다. 20초마다 정확한 구형球形인지를 확인했죠."

문제는 전쟁이 시작되면서 갑자기 수천 개의 폭격조준기를 만들어야 했다는 데 있었다. 이는 노든이 더 이상 볼베어링을 손으로 일일이 닦을 수 없다는 의미였다.

생산 쪽을 맡고 있던 동업자 바스는 매우 흥미로운 아이디어를 떠올렸다. 그는 한 회사에 가서 이렇게 말했다. "수십만 개의 볼베어링을 생산해주셨으면 하오." 그러고는 사람들을 시켜 볼베어링의 크기를 측정하게 했다. 완벽한 혹은 허용 오차 범위 내에 있는 볼베어링을 발견하면 그것을 폭격조준기에 집어넣었다. 완벽한 제품을 찾으려면 50, 60, 100개쯤의 볼베어링을 검토해야 했다. 기준에 맞지 않는 나머지는 버렸다. 하지만 그들은 개의치 않았다. 그 방식이 돈이 훨씬 덜 들었으니까.

볼베어링은 현대전에 필요한 모든 것에서 결정적 역할을 했다. 그렇다면 독일의 볼베어링 산업은 어디에 위치하고 있었을까? 거의 전부가 바이에른 지방의 슈바인푸르트라는 도시에 집중되어 있는 것으로 밝혀졌다. 다섯 개의 공장이 수천 명의 직원을 거느리고 24시간 돌아가면서 독일 군수품에 매달 수백만 개의 볼베어링을 공급하고 있었다.

슈바인푸르트는 폭격기 마피아가 찾던 환상이었다. 타미 비들은 이렇게 표현한다.

그 목표물을 제거하면 독일의 전쟁 경제 전체를 분해할 수도 있었습니다. 미국인들이 찾아 헤매던 것이었죠. 그들은 볼베어링이 표적이 될 수 있다고 생각했습니다.

카드로 만든 집에서 핵심 카드를 빼내 집 전체를 무너뜨리거나 거미줄의 실 가닥을 잡아당겨 전체를 다 풀어버리는 것과 비슷합니다. 미국인들은 그런 식으로 생각했습니다.

다시 말하지만 정말 야심 찬 계획이었습니다. 이 계획은 입증되지 않은 전제를 기반으로 했죠. 입증되지는 않았지만 매우 희망적인 전제 말입니다.

육군항공대 전략가들은 제2차 세계대전 중의 그 어떤 계획보다 기발한 계획을 세웠다. 두 지역에 대한 공습이었다. 주된 작전은 B-17 폭격기 230대를 슈바인푸르트의 볼베어링 공장으로 출격시키려는 것이었다.

하지만 이 작전을 가능하게 만들기 위해서는 주의를 돌리는 우회 작전이 필요했다. B-17 폭격기들이 슈바인푸르트로 떠나기 직전 다른 B-17 비행단은 슈바인푸르트 남동쪽의 작은 도시 레겐스부르크로 떠나기로 했다. 독일은 그곳에서 메서슈미트Messerschmitt 전투기를 만들었다. 레겐스부르크 공격으로 독일 방어군의 주의를 끌어 슈바인푸르트로 향하는 폭격기들의 길을 터준다는 생각이었다. 레겐스부르크로 향하는 폭격기들은 미끼였다.

그들이 슈바인푸르트 공습의 이 중요하고도 위험천만한 두 번째 부대를 맡길 지휘관으로 선택한 것은 누구였을까? 그들이 찾을 수 있는 가장 유능한 전투 사령관은 젊은 육군항공대 대령 커티스 르메이였다.

회피 기동 없이

커티스 르메이는 오하이오주 콜럼버스의 가난한 지역에서 성장했다. 형편이 어려운 대가족의 장남이었던 그는 야간에는 주조 공장에서 일하며 혼자 힘으로 오하이오주립대학 토목공학과를 졸업했다. 대학을 마치고 육군에 입대한 그는 항공단에서 놀랄 만큼 빠르게 승진했다. 33세에 대위가 된 이래 소령, 대령, 준장을 거쳐 37세에 소장으로 진급했다.

르메이는 개에 비유하자면 불도그였다. 두상은 크고 각이 졌으며, 중간에서 약간 벗어난 곳에 확실하게 가르마를 탄 헤어스타일을 고수했다. 포커를 매우 잘 쳤고 명사수였다. 옆으로 절대 눈을 돌리지 않고 앞으로만 나아가는 심성의 소유자였다. 합리적이고 침착했으며 자책이라는 것을 할 줄 몰랐다.

1943년의 인터뷰 기록을 한번 살펴보자. 르메이는 영국에서 제305폭격대를 이끌고 있었는데, 부하들과의 폭격 비행에서 막 돌아온 참이었다.

질문: 르메이 소령님, 오늘 비행은 어떠셨습니까?
르메이: 아주 좋았습니다. 이전 몇 번의 비행에 비해 다소 따분하긴 했지만요. 폭격기가 하나도 없었고 대공포는 미약하고 매우 부정확했습니다.

영화 제작진이 임무를 마치고 돌아온 항공병들을 인터뷰하러 온 터였다. 나머지 사람들은 들떠서 웃고 있었다. 영화를 찍는 사람들이라니! 영화에 얼굴을 남길 수 있는 기회였다. 작은 키에 어깨가

넓고 호전적인 성품의 르메이는 카메라 앞에서 감정이 없는 사람처럼 보였다. 적진 깊숙한 곳까지 공습을 다녀온 기분이 "다소 따분"했다니!

질문: 어젯밤 우리에게 말씀하신 대형, 이번 비행에서 그 대형을 따르신 겁니까?

르메이: 그렇습니다. 어젯밤에 생각했던 대형 그대로 비행했습니다.

질문: 폭격수는 어땠습니까? 작전을 잘 수행했나요?

르메이: 평상시대로 100퍼센트 임무를 완수했습니다.(웃음)

질문: 프레스턴 Preston 소령이 여기 있는데요, 그는 임무를 적절히 수행했습니까?

르메이: 그렇습니다. 늘 그렇듯 매우 정확했습니다.

르메이는 억양 없이 이야기했다. 자세한 설명도 없었다. 르메이 대령이 부하들에게 〈공중그네를 타는 남자〉를 불러주었을 것 같지는 않다.

질문: 다른 승무원은 어떻습니까? 소임을 다했습니까?

르메이: 승무원들은 기대 이상이었습니다.

질문: 그렇다면 아무런 불만도 없으셨던 거군요.

르메이: 전혀요. 아무런 불만도 없었습니다.

"아무런 불만도 없었습니다." 커티스 르메이는 불평하는 부류가 아니었다. 더구나 외부인에게는. 영화 관계자들이 헤이우드 핸셀을 인터뷰했다면, 그는 유창하게 몇 마디 똑똑한 대답을 한 뒤 사람들을 장교 숙소로 불러 자비로 술을 대접했을 것이다. 핸셀은 르메이와 정반대였다.

전쟁 전 맥스웰필드에 있을 때, 핸셀은 조종계의 일인자 클레어 셔놀트가 이끄는 무모한 조종사 모임의 일원이었다. 그들은 전혀 그런 모험용으로 만들어지지 않은 비행기를 끌고 어처구니없을 정도로 위험한 곡예비행을 했다. 핸셀 자신도 인정했듯이 그가 살아남은 것은 기적이었다. 핸셀은 무모한 사람들과 어울리는 것을 좋아했다. 그런 일은 그의 로맨틱한 성정과 맞아떨어졌다. 르메이는? 그는 로맨틱과는 거리가 멀었다.

르메이의 동료 공군 장성 러셀 도허티 Russell Dougherty는 르메이가 FB-111이라는 새로운 항공기에 대한 브리핑을 받았을 당시의 이야기를 즐겨 했다.

브리핑은 이틀하고도 반나절이 걸렸습니다. … 마침내 브리핑이 끝났죠. 르메이 장군은 그동안 단 한마디도 하지 않았습니다. 그저 앉아만 있었습니다. … 보고가 끝나자 장군은 "끝난 건가?"라고 말했습니다. "예, 장군님. 끝났습니다!" 그는 자리에서 일어나 이렇게 말했습니다. "충분히 크지가 않군." 그러곤 걸어 나갔습니다. 그것이 논평의 전부였죠.[6]

이틀 반에 걸친 브리핑을 "충분히 크지가 않군"이라는 말 한 마디로 일축한 것이다.

1942년 가을, 르메이는 제8공군과 함께 영국에 왔다. 그는 셸버스턴Chelveston에서 B-17 폭격기 중대를 이끌었고, 곧바로 유명 인사가 되었다.

예를 하나 들어보자. 6킬로미터 상공에서 정밀폭격을 하기 위해 적진 깊숙이 B-17 폭격기를 몰고 간다면, 적의 비행기로부터 자신을 어떻게 보호할 수 있을까? 물론 폭격기는 장갑판으로 둘러져 있고 총도 장착했지만 사격이 시작되면 그것으로는 충분치 않다는 것이 바로 드러난다. 따라서 르메이는 밀집대형이라는 것을 고안했다. 폭격기가 무리를 지어 함께 비행함으로써 적의 공격을 더 쉽게 방어할 수 있도록 하는 방법이다. 제8공군 전체가 바로 이 방식을 채택했다. 이후 르메이는 더 큰 문제인 조종사들에게로 주의를 옮겼다. 르메이가 은퇴하고 오랜 시간이 지난 후 구술사에서 밝힌 대로 "매우 분명한 사실 중 하나는 폭격의 성과가 그리 좋지 않다는 점이었다".**7**

폭격기에는 사진을 찍는 카메라가 있었다. 폭탄 투하 지역을 찍은 사진을 타격 사진strike photo이라고 불렀다.

승무원들이 기지로 돌아온 후 타격 사진을 본 르메이는 폭탄이 온갖 곳에 떨어졌으나 '표적만'은 맞추지 못한 것을 발견했다.

"표적을 파괴하기는커녕 대부분의 폭탄이 실제로 어디에 떨어졌는지에 대한 기록조차 없었습니다. 타격 사진을 찍고는 있었지만, 대륙으로 운반된 폭탄의 절반 이상은 어디에 떨어졌는지 알 수 없었죠."[8]

　조종사들이 표적을 향해 직선비행을 하지 않는 것이 문제였다. 직선비행을 할 경우 지상에 있는 적군 포병이 손쉽게 비행기의 속도와 고도를 추정해 조준할 수 있기 때문에 대공포 사격에 무방비 상태가 될 거라고 생각한 것이다. 그 때문에 조종사들은 마지막 순간까지 표적을 향해 직선비행을 하지 않고 회피 기동evasive action[전시에 적기敵機 또는 적의 대공포를 피하는 행동]을 했다. 폭탄이 빗나갈 수밖에 없었다. 폭격기가 겨우 마지막 순간에만 표적 위에 있다면 어떻게 폭격수가 폭격조준기를 제대로 작동시키겠는가?

　르메이는 설명했다. "폭격수에게 표적 타격 기회를 주기 위한 조치가 필요했습니다. 이는 보다 긴 폭격 항정航程[전자 기기로 목표를 확인한 후 폭탄을 투하하기까지의 비행]으로 폭격수에게 폭격조준기를 조정할 충분할 시간을 주는 것을 의미합니다."[9]

　르메이가 찾은 해법은 단 하나였다. 조종사가 회피 기동을 '멈춰야' 했다. 표적 위에서 직선비행을 해야 했다. 이는 일반적 통념과 정반대되는 것이었다. 그가 말했다. "전투 경험이 있는 사람들은 제 얘기에 모두 같은 의견을 내놓았습니다. 그렇게 하면 대공포가 폭격기를 격추할 거라고요."[10]

　하지만 그것은 의견에 불과했다. 르메이는 경험주의자였다. 그는 낡은 포병 교범을 연구하면서 몇 가지 계산을 했다. B-17 폭격기를 격추하려면 대공포를 몇 발 쏘아야 할까? 그는 이렇게 회상

　　　　　　　어떤 선택의 재검토

했다. "377발이 필요한 것 같았습니다. 제가 보기에는 그리 나쁜 확률이 아니었습니다."[11]

표적에 직선으로 날아가는 B-17 폭격기를 격추하려면 대공포 377발을 쏘아야 한다. 300발하고도 77발이라면 많은 양이다. 따라서 직선비행은 위험하긴 하지만 그렇게 말도 안 되는 위험이라고는 할 수 없다.

르메이는 이렇게 말했다. "해보자. 직선비행을 하자. 7분간 직선 고정 비행으로 접근하자." 자살행위처럼 들리지 않는가? 휘하의 모든 조종사가 실제 그렇게 생각했다. 그는 덧붙였다. "내가 우선 시도해보지." 르메이는 1942년 프랑스 생나제르Saint-Nazaire 폭격 비행에서 선두에 나섰고, 회피 기동을 하지 않았다. 자, 그래서 어떤 일이 일어났을까? 표적에 떨어진 폭탄은 이전 폭격의 두 배였지만 그들은 폭격기를 한 대도 잃지 않았다.

이후 베트남전쟁 때 국방장관이 된 로버트 맥나마라Robert McNamara는 제2차 세계대전 당시의 육군항공대에 대한 분석을 실시했다. 에럴 모리스Errol Morris의 뛰어난 다큐멘터리 〈전쟁의 안개The Fog of War〉에서 맥나마라는 많은 조종사가 꽁무니를 빼고 있다는 이야기를 들은 르메이를 이렇게 묘사했다.

장군은 내가 전쟁에서 만난 그 어떤 전투 사령관보다 뛰어났습니다. 하지만 한편으로 엄청나게 호전적이었으며, 많은 사람이 그분을 잔혹하다고 생각했습니다. 르메이 장군은 이렇게 명령을 내렸습니다. "내가 모든 임무에서 선두로 출격하겠다. 이륙한 비행기는 모두 표적 위로 비행한다. 그렇지 않으면 승무원들은 군법회의에 회부될 것이다." 장군은 그런 부류의 지휘관이었습니다.[12]

폭격기 마피아는 안전하기 그지없는 앨라배마주 몽고메리에서 전쟁이 일어나기 수년 전부터 장대한 계획을 구상했던 이론가와 인텔리로 이루어져 있었다. 하지만 커티스 르메이는 그들의 이론을 어떻게 실현해야 할지 생각해낸 사람이었다.

회피 기동을 중단한 폭격 작전에 대해 르메이는 이렇게 말했다. "첫 번째 직선 폭격 항정에 나서면서 저나 저와 함께한 다른 대원들에게 불안이 없었던 것은 아닙니다. 하지만 효과가 있었습니다."[13]

그는 "불안이 없었던 것은 아니다"라고 말했다. 그뿐이다!

23킬로그램짜리 물폭탄

르메이에 대해 들려줄 이야기가 하나 더 있다. 사람들이 르메이에게 마음을 빼앗긴 것(음, 나 역시 그렇다는 것을 인정한다)은 그가 뛰어난 전투 사령관이어서가 아니기 때문이다. 제2차 세계대전에는 수많은 전투 지휘관이 있었다. 그의 매력은 무슨 생각을 하는지 도무지 알 수 없는 그의 성격에서 비롯된다. 그에게는 평범한 사람들과 같은 한계가 없었다. 그것은 어떤 면에서 아주 짜릿했다. 르메이가 다른 사람들이 상상조차 할 수 없는 것들을 성취할 수 있다는 의미였기 때문이다. 하지만 그로 인해 사람들은 어안이 벙벙해지기도 했다. 맥나마라가 르메이를 묘사하면서 '잔인하다'는 단어를 사용했다는 점을 생각해보자. 맥나마라 자신도 따뜻하고 푸근한 사람은 아니었다. 그는 이후 북베트남에 대한 집중 폭격을 지휘했다. 르메이는 그런 그의 입을 딱 벌어지게 만들었다.

군에서 르메이에 대한 소문이 돌게끔 만든 일은 1937년 일어났다. 유럽에서 전쟁 가능성이 커지고 있는 때였다. 육군 항공단은 폭격 기법을 연습할 기회를 원했다. 실제 연습 말이다. 물론 폭탄만은 가짜였다. 물로 채운 23킬로그램짜리 폭탄이었다. 르메이는 긴 세월이 흐른 뒤 이 연습에 대해 언급했다. "공군은 내가 몸담은 이래 국가 방위에 기여하기 위해 애써왔습니다. 하지만 아무도 크게 관심을 두진 않았습니다. ⋯ 우리는 전함에 폭탄을 투하하는 연습을 하고 싶었습니다. 전함을 찾는 연습을요."[14]

육군 항공단만으로는 효과적인 훈련이 불가능했기 때문에 해군의 협조가 필요했다. 전함을 바다에 숨겨두어야 했다. 마지막 순간에 좌표를 주고 폭격기로 하여금 그것을 찾게 해야 하기 때문이다. 정교한 레이더나 항법 보조 장비가 없던 시절이었다. 전함을 찾으려면 수천 킬로미터 상공에서 눈으로 살피고 그 좁은 갑판을 폭탄으로 타격해야 했다. 시속 수백 킬로미터로 비행하는 와중에 말이다.

해군은 그리 열의가 없었다. 르메이가 말했다. "결국 그들은 연습에 참여하기로 했습니다. 다만 서해안에서 8월에 연습을 하기로 했죠. 8월의 서해안에는 수천 킬로미터에 걸쳐 안개가 낍니다. 그들은 의도적으로 그 시기를 선택했던 게 분명합니다."[15]

수천 킬로미터의 안개 속에서 전함 한 대를 어떻게 찾겠는가? 설상가상으로 해군은 규칙을 어겼다. 애초에 이 실전 연습은 첫날 정오부터 다음 날 정오까지 24시간 동안 이어지게 되어 있었다. 하지만 해군은 전함 'USS 유타'의 좌표를 첫날 오후에야 보냈다. 게다가 그들이 보낸 것은 틀린 좌표였다. 좌표는 실제 위치에서 100킬로미터 떨어져 있었다. 안개는 수천 킬로미터에 걸쳐 펼쳐져 있었다. 지시는 늦게 내려왔다. 그나마 방향도 잘못 표시되어 있었다. 모래사장에서 바늘을 찾는 편이 더 쉬울 것이다.

정오를 10분 남겨두고, 거의 마지막 순간에 르메이는 전함을 발견하고 폭탄을 투하했다. 끝내 전함을 찾은 것이다. 르메이가 마음을 먹고 하지 못하는 일은 없었다. 그러나 그것은 이 이야기의 요지가 아니다. 중요한 것은 그가 폭탄을 떨어뜨리기 직전에 벌어진 일이다.

해군은 전함이 발견되지 않을 것이라 확신하고 있었다. 따라서 아무런 대비책을 갖고 있지 않았다. 수병들은 평상시와 다름없이 일하고 있었다. 본래는 폭격 연습을 피해 숨어 있어야 했지만 그렇게 하지 않았다.

그래서 르메이는 어떻게 했을까? 그는 유타호에 폭탄을 투하했다. 수병들에게 23킬로그램의 물폭탄을 쏟아부은 것이다.

르메이는 이렇게 회상했다. "모두가 몸을 숨기기 위해 건널판이나 출입구로 뛰어들더군요. 몇 사람이 조금 다쳤다는 소문을 들었습니다."[16]

르메이는 이 폭격 연습으로 수병 몇 명이 실제 사망했다는 이야기를 듣고 그의 자서전에 이렇게 적었다. "첫 번째 폭탄이 갑판에 떨어지는 것을 지켜보던 일이 기억난다. 충격으로 나뭇조각들이 사방으로 날렸다. 나무가 그런 식으로 산산이 부서질 줄은 몰랐다."[17]

르메이는 그 일을 대수롭지 않게 여겼다. 그의 임무는 배를 찾는 것이었고, 그는 임무를 수행했다. 어쨌거나 나무 갑판에 떨어진 폭탄의 물리력에 대해 알게 된 좋은 경험이었다.

칼라일배럭스Carlisle Barracks의 육군유산교육센터Army Heritage and Education Center 소장이자 미국육군역사연구소US Army Military History Institute 소장을 역임한 콘래드 크레인Conrad Crane은 르메이를 역사상 가장 위대한 공군 사령관이라고 칭했다.

그는 역동적인 리더였습니다. 부하들의 어려움을 공유했죠. 그는 공군 역사상 최고의 항법사였고, 뛰어난 조종사였으며, 정비까지도 할 수 있었습니다. 자신이 맡고 있는 리더로서의 측면은 물론이고 기술적인 부분에 대해서도 잘 알았습니다. 그는 공군 최고의 문제 해결사였습니다.

한편으로 그는 해결해야 할 문제가 주어지면 어떻게 해야 하는지 많이 묻지 않는 사람이었습니다.

1943년 여름에 폭격기 마피아가 했던 생각을 짐작해보자. 이들은 항공단전술학교에서 세운 가설을 입증해야 했다. 나치의 군수산업에 치명적 타격을 안겨야 했다. 볼베어링이 독일 군사 인프라의 중요한 관문이라는 것을 증명해야 했다. 슈바인푸르트 공습은 그들의 전쟁 방식이 영국의 것보다 우월하다는 걸 드러내 보일 절호의 기회였다. 당신이라면 이 임무의 '계획'을 누구에게 맡기겠는가? 맥스웰필드의 스타, 최고 중의 최고 헤이우드 핸셀이다. 그렇다면 레겐스부르크에 대한 가짜 습격 같은 임무의 가장 어려운 부분을 누가 지휘하도록 하겠는가? 거기에는 다른 선택지가 없었다.

〈에어포스 스토리 The Air Force Story〉라는 영화에서 해설자는 이 장면을 이렇게 묘사한다. "1943년 8월 17일 새벽 영국 … 제8폭격사령부는 그들의 폭격 목록에 있는 두 곳(슈바인푸르트의 볼베어링 공장과 레겐스부르크의 메서슈미트 전투기 공장)의 가장 중요한 표적을 위해 B-17 376기를 준비했다."[18]

이 공군 이야기는 일인칭 시점으로 되어 있다.

개인 물품을 제출하자 앞으로 있을 이 이원doubleheader 작전이 대가가 큰 대규모 공중전이 될 것이라는 점이 사실로 와닿았다. 많은 사람이 목사, 신부, 랍비를 찾아 영국 전역의 교회, 성당, 사원으로 갔다. … 이날 작전으로 우리는 그 어느 때보다 독일 깊숙이

까지 침투할 예정이었다. 그때까지 출격한 어떤 폭격기 부대보다 큰 규모였다.[19]

5장

모든 것을 불태우기:
납득할 수 없는 일을
수행해야 할까?

슈바인푸르트

슈바인푸르트 공습 전날 커티스 르메이에게 떨어진 명령은 정교한 유인 작전을 이끌라는 것이었다. 그는 제4폭격비행단(B-17 폭격기 부대)과 함께 먼저 이륙하기로 했다. 그들은 레겐스부르크의 메서슈미트 전투기 공장으로 향했다.

르메이의 부대가 독일군을 메서슈미트 공장 방어에 묶어둔다는 아이디어였다. 그들은 계속해서 알프스를 통과해 북아프리카로 가기로 했다. 독일 전투기를 바이에른의 볼베어링 공장이 있는 지역에서 가능한 한 멀리 유인하기 위해서였다.

르메이는 훗날 이렇게 회상했다. "우리는 레겐스부르크로 가서 그 지역을 타격하고 브렌네르 고개Brenner Pass[이탈리아와 오스트리아 국경에 있는 고개]로 나오기로 했습니다. 빠져나올 때는 굳이 싸울 필요가 없을 것이라고 생각했습니다. 들어갈 때는 독일 전투기의 전면 공격을 받을 상황이었지만요."

이후 진짜 폭격대인 제1폭격비행단이 도착할 터였다.

르메이는 말했다. "그들은 사실상 아무런 통제 없이 목적지에 도착할 예정이었습니다. 독일 전투기들이 제4폭격비행단을 상대하고 … 무기를 재장전하기 위해 지상에 있게 되니까요. 하지만 그들은 들어갈 때와 나올 때 모두 전투를 해야만 했죠." 르메이는 그답게 공격에 앞서 오래전부터 날씨를 걱정했다. 폭격기는 안개의 나라인 영국의 기지에서 이륙할 예정이었다. 따라서 그는 공습을 이끌기 수주 전부터 매일같이 부하들에게 맹목 이륙盲目離陸[시계視界 비행이 아닌 상태에서 계기나 무선 장비를 이용해 행하는 이륙]을 연습시켰다.

아니나 다를까, 작전 당일인 8월 17일, 짙은 안개가 꼈다. 그는 이렇게 회상했다. "그날의 영국은 끔찍했습니다. 손전등을 이용해 활주로 끝에 있는 포장 주기장駐機場에서 나오는 비행기를 인도해야 했죠."

르메이는 부하들을 이끌고 어둠 속으로 나아갔다. 독일이 점령하고 있던 프랑스 영공에 들어서자 구름 뒤에서 독일 전투기들이 나타나기 시작했다. 르메이의 제4폭격비행단은 독일 방공망 한가운데로 먼저 뛰어든다는 게 어떤 의미인지 경험했다.

몇 개월 후 르메이 휘하의 조종사 번 레이Beirne Lay가 레겐스부르크 공습에 대해 쓴 글이 〈새터데이 이브닝 포스트Saturday Evening Post〉에 게재되었다. 참혹했다.

반짝이는 은색의 사각형 금속이 오른쪽 날개 위로 지나갔다. 그것이 B-17의 문짝이라는 것을 알아볼 수 있었다. 몇 초 뒤, 검은색 덩어리가 돌진해오면서 프로펠러 여러 개를 날려버릴 뻔했다. 사람이었다. 공중 3회전을 하는 스카이다이버처럼 무릎을 꺼안은 채 머리를 처박고 있었다. 너무 가까이 날아와서 그의 가죽 재킷에서 종이 한 장이 빠져나오는 것까지 보였다. … 1시간 이상 지속적인 공격을 받고 있었기 때문에 우리 부대가 완전히 궤멸당할 게 확실해 보였다. 하늘에는 전사戰士들이 점점이 떠 있었다. 목표 시간까지는 35분이 남아 있었다. 그런 와중에 100퍼센트 죽음 이외에 다른 가능성을 점친 사람이 있었을까 싶다.[1]

레이는 편대에 있던 다른 비행기의 상황을 이렇게 묘사했다. 그 비행기는 여섯 차례 공격을 당했다. 20밀리 기관포가 항공기 오른쪽을 꿰뚫고 조종사 아래쪽을 폭파하면서 사수의 다리 한쪽을 잘라냈다. 두 번째 포탄은 무선실을 타격해 무전병의 무릎 아래가 잘려 나갔다. 그는 출혈 과다로 사망했다. 세 번째 포탄은 폭격수의 머리와 어깨를 날렸다. 네 번째 포탄은 조종석을 타격해 비행기의 유압 시스템을 없앴다. 다섯 번째 포탄은 방향타 케이블을 절단했다. 여섯 번째 포탄은 3번 엔진을 타격하고 불태웠다. 이는 비행기 한 대가 당한 일이다. 조종사는 비행을 계속했다.

공격은 그들이 레겐스부르크에 이를 때까지 몇 시간 동안 이어졌다. 그들에게 유일한 위안은 진짜 공격, 나치의 군수산업에 심각한 손상을 줄 공격을 수월하게 만들어주고 있다는 생각이었다.

그러나 세심하게 계획된 이 유인 임무는 예정된 미끼 역할을 거의 하지 못했던 것으로 밝혀졌다. 르메이의 조종사들은 여름날 새벽의 짙은 안개 속에서도 이륙할 수 있었다. 르메이가 그런 문제를 대비해 훈련시켰기 때문이다. 그는 이륙 훈련을 반복했다.

"장비만을 이용하라. 밖을 전혀 볼 수 없는 것처럼 행동하라."

하지만 다른 사령관들은 르메이처럼 하지 못했다. 전투기 승무원들은 독일로의 장거리 출격에 지쳤고, 동료를 잃은 충격에 빠져 있었다. 잠이 부족했으며, 불안하고 기진했다. 이런 부하들에게 "향후 임무 수행 때 안개가 낄 가능성이 있으니 오늘 새벽 6시에 맹목 이륙 연습을 한다"고 말한다는 게 사령관으로서 얼마나 힘든 일일지 짐작이 가는가?

그런 일은 르메이만이 할 수 있었다. 그는 가차 없이 엄격한 사람이었다. 의미 없는 연습으로 보이는 것을 밀어붙일 때 부하들이 하는 불평 따위 그의 관심 밖이었다. 그렇다면 헤이우드 핸셀은 이런 세부적인 문제에 관심을 갖고 있었을까? 아니다. 그는 워싱턴에서 좀 더 고매한 생각을 하고 있었다.

그날 아침 제1폭격비행단의 전투기들은 날씨가 좋아질 때까지 활주로에 발이 묶여 있었다. 그들은 르메이가 이륙하고 10분 뒤 출전하기로 되어 있었지만 실제로는 르메이보다 '몇 시간' 뒤에야 이륙했다. 이로써 독일 방어군은 전열을 가다듬고 슈바인푸르트 공습에서도 몇 시간 전 레겐스부르크 공습에서와 같은 맹렬한 공격을 펼칠 수 있었다.

결국 그날은 '두 번'이나 피바다가 연출되었다.

르메이는 이렇게 회상했다. "제게는 125대의 비행기가 있었고, 그중 24대를 잃었습니다. 저는 나쁘지 않은 성적이라고 생각합니다. 하지만 우리는 한 번뿐이었습니다. 제1폭격비행단은 1시간 뒤에 왔고, 착륙했다가 다시 출격한 독일 폭격기들과 오며 가며 양쪽으로 싸워야 했습니다. 그들은 50~60대의 비행기를 잃었습니다."

'엄청난' 손실이다. 그런 식의 공습을 정기적으로 펼친다면 공군 전체가 무력화될 것이다.

미국 공군의 정사正史에서도 숨길 수 없는 재난이었다. 〈에어포스 스토리〉의 해설자는 이렇게 표현한다.

괴링Hermann Wilhelm Göring의 독일 공군은 온갖 계략을 다 썼다. 우리의 B-17은 전쟁이 시작된 이래 가장 맹렬한 공격을 받았다. … 이 전투들로 인해 우리가 하루 만에 잃은 생명과 비행기는 제8공군이 유럽에서 첫 6개월 동안의 작전으로 잃은 것보다 많았다. 적의 산업 중심지로부터 800킬로미터 떨어진 곳에서 전쟁을 벌인 우리는 그 대가가 얼마나 클지 누구보다 잘 알고 있었다.

맹공에 부딪히기 시작하면서 우리 사수들은 독일 공군 전체가 열을 올리기 시작하는 것을 느낄 수 있었다. 적의 영공에서 공격을 기다리며 우리는 어항 속 금붕어가 된 느낌이었다.

모든 폭격기가 한마음으로 움직였다. '폭격이 끝날 때'까지 회피 기동은 없다. 당시로서는 공격에 가장 취약한 편성이었다. 하지만 그것은 문제가 되지 않았다. 우리는 슈바인푸르트에서 할 일이 있었다. 우리에게는 거기로 가져갈 400톤의 고성능 폭약이 있었다.[2]

그러나 적어도 그 작전은 슈바인푸르트의 볼베어링 공장에 타격을 줘서 전쟁을 위한 독일의 노력에 손상을 입혔다. 그런가? 실은 그렇지 못했다.

영화에서 폭격수들은 폭격조준기를 들여다본다. 폭탄 투하실의 문이 열린다. 폭탄은 폭포처럼 떨어진다. 그러고는 저 아래 독일에서 계속된 폭발이 일어나는 것을 본다. 해설자는 말을 잇는다.

두 개의 주요 볼베어링 공장에 80발을 맞춘 뒤, 우리는 다시 스스로를 보호할 수 있게 되었다. 최소한 대공포와 전투기 공격에 대항해 회피 기동을 하는 정도까지는. 하지만 무엇보다 중요한 것은 기지로 빨리 돌아오는 일이었다.[3]

각기 8~9개의 폭탄을 실은 230대의 폭격기. 그렇다면 폭탄은 총 2,000개라고 해두자. 그런데 이 중 80개가 표적에 맞았다. 이건 정밀폭격이 아니지 않은가?

암흑기

하지만 슈바인푸르트에서의 근본적 문제는 전투 계획의 잘못된 실행이 아니었다. 그것은 하나의 조짐에 불과했다. '진짜' 문제는 폭격기 마피아 이념의 기계적 초석, 바로 노든 폭격조준기와 관련이 있었다.

현실에서는 폭격조준기가 칼 노든의 실험실이나 군의 훈련 영상에서처럼 작동하지 않는 것으로 밝혀졌다. 나는 역사학자 스티븐 맥팔런드에게 이상적인 조건에서는 폭격조준기가 효과가 있었느냐고 물었다. 다음은 그의 대답이다.

엄격하게 수학적인 문제에 대해 얘기하자면, 이론적으로 그 답은 '예스'입니다. 하지만 기어와 도르래가 움직이면 마찰이 일어납니다. 볼베어링을 얼마나 닦았는지, 허용 오차가 얼마나 완벽한지는 상관이 없습니다. 어쨌든 마찰의 문제에 부딪히게 되죠. 아주 조금의 마찰이라도 있다면? 그것은 곧 수학 공식의 아날로그적 등가물이라 할 수 있는 이 기계가 엉망이 된다는 것을 의미합니다. 더 이상 공식대로 작동하지 않는 것이죠.

노든의 폭격조준기는 기계이다. 수제로 만들었다면 모든 부품이 정확하게 들어맞고 모든 허용 오차도 정확하게 맞출 수 있을 것이다. 하지만 전쟁이 일어나자 군에는 기계 수만 대가 필요했다.

맥팔런드가 설명했듯이 "공장 밖으로 나오면서부터 기름의 농도가 진해지기 시작한다. 7~8킬로미터 상공의 온도는 영하 50도쯤 된다. 기어와 도르래가 잘 움직이게끔 하는 기름의 농도가 진해지고, 따라서 약간의 마찰이 생긴다".

이번에는 폭격수, 막 훈련소에서 나온 어린 폭격수가 실전에서 이 민감한 기계를 조작한다고 생각해보라.

맥팔런드의 이야기는 계속된다.

사람들이 당신에게 총을 쏩니다. 적의 비행기가 시속 800~900킬로미터의 속도로 당신에게 다가옵니다. 끔찍한 비명이 난무하고, 폭탄이 떨어지고, 폭발이 일어나는 와중에 폭격수는 불안할 수밖에 없겠죠. 불안이라는 단어가 여기에 적절한지는 모르겠지만요. 그들은 몸을 앞으로 숙이고 표적에 십자선을 완벽하게 맞추는 데 열중합니다. 그렇게 하면서 실제로 그 망원경으로 보이는 가시각可視角을 바꾸어야 합니다. … 그건 불가능하죠.

게다가 아직 가장 중요한 요소를 언급하지 않았다. 날씨다. 노든 폭격조준기는 표적의 유시계有視界[조종자의 시각에 의존하는 방식] 관측에 의존했다. 망원경을 통해서 타격하고자 하는 것을 본 뒤에 바람의 방향, 공기의 속도, 온도, 표면의 만곡彎曲 등의 정보를 입력한다. 당연히 표적 위에 구름이 있다면 아무런 효과가 없다. 정교한 레이더를 발명하기 이전에는 이 문제를 해결할 다른 방도가 없었

어떤 선택의 재검토

다. 날씨가 화창하기를 기도하는 수밖에. 구름이 끼면 때로 작전을 취소하기도 했다.[●] 하지만 보통은 어쨌든 작전에 나서서 시도를 해 본다. 어쩔 수가 없다. 활주로에서 너무 오래 망설이고 있다가는 기습적인 요소를 놓쳐버리고 만다.

제8공군은 안개 속에서 슈바인푸르트의 볼베어링 공장들을 향해 이륙했다. 그들은 2,000개의 폭탄을 투하했다. 그리고 그중 80개가 표적을 맞췄다. 80개의 폭탄은 넓게 퍼져 있는 산업 단지를 파괴하기에 충분치 않다.

공습 후 독일에서 가장 큰 볼베어링 공장인 쿠겔피셔Kugelfischer 의 직원이 공장을 둘러보았다. 위층은 완전히 무너졌고 사방에 파편들이 널려 있었다. 그러나 중요한 기계의 절반 정도는 그대로 남아 있었다. 그것은 곧 재가동이 가능하다는 뜻이었다. 헤이우드 핸셀은 피츠버그에 있는 프로펠러 스프링 공장에 맞먹는 전형적인 초크 포인트를 발견했다고 생각했다. 하지만 몇 주 만에 다시 가동할 수 있는 공장은 초크 포인트라고 할 수 없다.

이 공격으로 독일의 볼베어링 생산량은 3분의 1 정도 줄어든 것으로 추정됐다. 그 때문에 60대의 항공기를 잃고 552명의 항공병이 죽거나 포로가 되었다고? 이 폭파 임무에 대한 육군의 공식적 사후 분석인 미국전략폭격조사United States Strategic Bombing Survey는 "볼베

●　여담으로, 이는 오늘날의 여러 군사용 드론에서도 마찬가지이다. 거누려면 표적을 봐야 한다.

어링 산업에 대한 공격이 필수적인 전시 생산에 유의미한 영향을 주었다는 증거는 없다"고 결론 내렸다.**4**

역사가 타미 비들은 이것이 폭격기 마피아가 그들 신조의 효과를 입증하려는 시도였다면, 완벽한 실패였다고 말한다.

> 미국인은 자신의 방법, 기법, 신조가 얼마나 우월한지 내세우는데 거리낌이 없습니다. 어떤 것도 입증되지 않았기에, 그렇게 대담하고 자신감 있는 태도를 가질 근거가 전혀 없는데도 말입니다.
>
> 그들은 별로 한 것이 없었습니다. 하지만 그들은 기본적으로 자신들에게만은 규칙이 다를 것이라고, 영국인이 이룰 수 없었던 것을 자신들은 할 수 있다는 생각을 갖고 전장으로 뛰어든 건방진 미국인이었습니다.

그렇다면 슈바인푸르트의 재앙 이후 폭격기 마피아 사람들은 무슨 일을 했을까? 재시도였다. 1943년 가을, 제8공군은 두 번째로 슈바인푸르트를 공습했다.

전쟁이 끝나고 몇 년 후, 〈정오의 출격Twelve O'Clock High〉이라는 영화가 나왔다. 르메이 휘하의 조종사였던 번 레이가 쓴 책을 기반으로 한 영화였다. 〈정오의 출격〉은 볼베어링 공장 공습을 이끄는 지휘관 역할에 그레고리 펙Gregory Peck을 캐스팅했다. 폭격기 마피아의 비전이 얼마나 집요했는지 완벽하게 포착했기 때문에 볼 만한 가치가 있는 영화이다. 첫 공습은 실패했지만 그것은 그들에게 문제가 되지 않았다. 다시 시도하면 된다. 노든 폭격조준기의 한계에 대한 증거를 서서히 수집하고 있었지만, 그 어떤 증거도 그들을 당황시키지는 못했다. 꿈은 살아 있었다.

영화에서 아이라 에이커를 모델로 한 인물인 프리처드Pritchard 장군은 이렇게 말한다.

> 이 전쟁의 끝을 앞당기는 유일한 희망은 주간 정밀폭격이야. 우리가 중단한다면 주간 폭격도 끝나지. 모르겠어. 하지만 이것이 상황을 좌우할 수도 있지. 독일 산업을 KO시키지 않는다면 전쟁에서 지게 될지도 몰라.
> 프랭크 자네는 앞으로 어떤 일이 일어날지 감을 잡지 않았나. 자네가 이미 전투에서 자기 몫 이상을 해냈다는 건 아네. 그러니 이번 한 번뿐이라고 약속하지. 녀석들을 이끌고 작전을 수행해줘. 버틸 수 있는 데까지 버티다가 다시 추슬러서 좀 더 작전을 하란 말이야.[5]

1차 슈바인푸르트 공습에 이은 2차 공습이 있었지만 영화는 이런 현실을 반영하지 않았다. 할리우드다운 이유가 있었다. 두 번째 슈바인푸르트 공습은 1차에 비해 성공률이 아주 조금 더 높았다. 그리고 피해는 더 컸다. 하지만 그때도 독일의 항공기 산업은 마비되지 않았다. 마비 근처에도 가지 못했다. 이 두 번째 공습에서 제8공군은 얼마나 많은 항공기를 잃었을까? 60대가 전파되었고 17대가 심각한 손상을 입어 폐기해야 하는 상태였다. 650명의 항공병이 사망하거나 포로로 잡혔다. 그 작전에 참여한 대원 중 거의 '4분의 1'이 복귀하지 못했다. 그 직후, 제8공군 사령관 아이라 에이커는 보직이 바뀌어 지중해 전역戰域으로 전출되었다. 저녁 식사를 주지 않고 방으로 보내는 처벌의 군대식 버전이랄까?

1943년은 폭격기 마피아에게 암흑기였다. 그들의 모든 아이디어가 현실의 벽에 부딪혀 박살이 났다. 9킬로미터 상공에서 피클통에 폭탄을 맞출 수 있어야 했다. 하지만 그것은 이제 어이없는 농담처럼 보였다. 폭격기는 아주 높이, 아주 빠르게 비행하기 때문에 아무도 손을 댈 수 없다고? 잠꼬대를 하는 건가? 제8공군의 항공병들은 파병 임무를 마치려면 25번의 작전에 참여해야 했다. 4분의 1의 승무원이 돌아오지 못한 2차 슈바인푸르트 작전에 참여한다면? 계산을 좀 해보라. 그런 식으로 25번 비행을 한다면 전쟁에서 살아 돌아올 확률이 얼마나 될까?

그 절박했던 몇 개월을 회상하는 제2차 세계대전 항공병들의 인터뷰가 수십 개는 된다. 그중 하나가 제8공군 B-17 무전병이었던 조지 로버츠George Roberts의 인터뷰이다. 그는 이렇게 말한다.

우리는 한 비행 중대, 제367폭격중대에 배치되었습니다. 저는 거기에 커다란 명패가 걸려 있는 것을 보았습니다. 이렇게 적혀 있었죠. '제367 클레이피전clay pigeon 공군의 집.' 맙소사! 저는 정말

웃기는 이름이라고 생각했습니다. 부대에 '클레이피전'이란 이름을 붙이다니. 하지만 이후 '클레이피전'이라는 말이 그 중대에 정말 딱 맞는 이름이라는 것을 알게 되었습니다.[6]

클레이피전은 사격 대회에서 사용하는 표적의 이름이다. 진흙으로 만든 이 원반은 충격을 받으면 산산이 부서지며, 형광 오렌지색이어서 눈에 잘 띈다. 분명 폭격 중대의 사기를 돋우는 이름은 아니다.

유럽에서의 전쟁이 길어지면서 폭격기 마피아에 대한 압력이 거세졌다. 영국은 제8폭격사령부를 더욱 업신여기게 되었다. 한편, 워싱턴의 고위 장교들은 공중전을 새로운 방향으로 추진하려 애쓰고 있었다. 그들은 독일에 대한 다른 종류의 공습, 요컨대 뮌스터Münster 지역에 대한 공격을 요구했다. 뮌스터는 산업 중심지가 아닐뿐더러 거기에는 항공기 공장도, 볼베어링 공장도, 정유 공장도 없었다. 그곳은 독일 시민들로 가득한 매력적인 중세 도시일 뿐이었다.

그 임무를 맡았던 조종사 키스 해리스Keith Harris는 이렇게 회상했다.

우리는 제390중대에 앞서 독일의 뮌스터로 갔습니다. 일요일, 햇빛이 눈부신 좋은, 아름다운 날이었습니다. 아름다운 가을날이었죠. 표적은 건물이 가득 들어선 지역에 있었습니다. 뮌스터의 한 큰 건물에 있는 이런 넓은 계단을 조준점으로 선정한 것은 다소 부적절하지 않나 하는 생각을 했습니다.**7**

그가 언급한 것은 뮌스터 대성당이다. 제8공군은 일요일 정오에 성당을 폭격하라는 지시를 받았다. 미사를 끝내고 사람들이 나오는 시간이었다.

비행 전 브리핑에서, 사람들은 충격에 휩싸였다. 그들은 이런 일을 하기 위해 군인이 된 게 아니었다. 이것은 제8공군이 옹호하는 바와 달랐다. 엄격한 감리교 가정에서 자란 어떤 조종사는 지휘관에게 가서 그 임무를 수행할 수 없다고 말했다. 이것은 영국 스타일의 지역폭격이지 미국식 폭격이 아니었다. 조종사는 임무를 수행하지 않으면 군법회의에 회부된다는 이야기를 들었다. 어쩔 수 없었다. 그 브리핑이 이루어진 회의실에서 벌어지는 일을 이해해보려고 애쓰던 사람이 또 있었다. 헤이우드 핸셀이었다. 그의 부하 한 명은 훗날 이렇게 기록했다. "핸셀 장군은 아연실색했다."**8**

'오로지 최종 결과'

전쟁 동안, 리언 페스팅거Leon Festinger라는 젊은 통계학자가 육군항공단의 프로젝트 하나를 진행하고 있었다.

그가 맡은 일은 조종사 훈련에 적합한 사람을 선발하는 방법을 고안하는 것이었다. 딱딱한 학문적 활동처럼 들릴 것이다. 하지만 1943년 육군항공단이 겪은 처참한 일들을 한번 생각해보라. 페스팅거가 하는 일의 본질은 어떤 젊은이를 (통계적으로) 거의 확실한 죽음으로 내보낼지 알아내는 것이었다.

리언 페스팅거는 미국에서 가장 유명한 사회심리학자가 되었다. 나는 공군을 위한 연구 경험이 전후戰後 그의 유명한 연구의 동기, 즉 '시커스Seekers'라고 불리는 시카고의 한 종교 집단을 분석하게 된 동기가 되지 않았을까 항상 궁금하게 여겼다. 페스팅거는 한 가지 질문을 마음에 품고 시커스에 접근했다. 수년 전 폭격기 마피아가 믿었던 게 모두 거짓으로 판명되었던 참혹한 시기 동안 그의 마음을 스쳤을 것이 분명한 질문이었다. 확신이 현실에 부딪혔을 때 진정한 신자들에겐 어떤 일이 일어날까?

리언 페스팅거는 이렇게 회상했다. "그런 상황에서는 자신이 느끼는 바나 자신이 하는 일에 잘 부합하는(그것을 정당화하는) 인식만을 받아들일 것이란 생각에서 시작되었습니다. 사람이 정말 그런 식으로 움직인다면 그런 일이 아주 흔하게 나타날 것이라고 생각했죠."9

시커스의 리더는 도러시 마틴Dorothy Martin이라는 여성이었다. 그녀는 가디언Guardian이라고 부르는 일단의 외계인과 접촉한다고 주장했다. 가디언은 그녀에게 1954년 12월 21일 홍수로 세상이 멸망한다는 이야기를 전해주었다고 한다. 하지만 세상의 종말이 찾아오기 며칠 전, 그녀와 추종자들은 비행접시를 통해 구원을 받을 것이고, 비행접시는 그녀의 집 뒷마당에 착륙할 것이라고 했다. 이 순간을 준비하기 위해 시커스는 직장을 그만두고, 가족을 떠나고, 재산을 버렸다. 그들은 시카고 교외 오크파크Oak Park에 있는 도러시 마틴의 집에 모였다. 처음에 마틴은 비행접시가 12월 17일 4시에 도착할 예정이라고 말했다. 외계인들은 오지 않았다. 이후 자정에, 마틴은 비행접시가 오고 있다는 새로운 메시지를 받았다고 말했다. 하지만 비행접시는 오지 않았다. 그녀는 외계인들이 자신에게 새로운 날짜를 주었다고 말했다. 세상이 멸망하기 직전인 12월 21일 자정에 말이다. 시커스는 다시 마틴의 집 거실에 모여 비행접시를 기다리고 또 기다렸다.

페스팅거가 회상하듯 "우리는 그들의 예언이 실현되지 않으리라는 합리적인 확신을 갖고 있었다. 그러나 거기에 있는 일단의 사람들은 특정한 예언을 전적으로 믿었다. 그들은 정말로 헌신적이었다. 직장을 그만두고 재산을 정리했다. 그들은 대재앙과 자신의 구원을 준비하고 있었다".**10**

도러시 마틴 집에서의 마지막 날을 설명한 페스팅거의 책《예언이 끝났을 때When Prophecy Fails》의 서두를 인용하는 것이 좋을 듯하다.

마음을 다해 어떤 것을 믿는 사람을 생각해보자. 믿음이 너무나 깊은 나머지 돌이킬 수 없는 어떤 행동을 했다고 생각해보자. 마지막으로 그 사람에게 그의 믿음이 잘못되었다는 증거, 부정할 수 없는 명백한 증거가 제시되었다고 생각해보자. 어떤 일이 일어날까?[11]

페스팅거와 두 동료는 도러시 마틴에게 기다리는 동안 시커스를 관찰해도 괜찮으냐고 물었다. 페스팅거는 거기에서 일어난 일을 시시각각으로 설명한다.

벽난로 위 선반의 시계가 비행접시가 도착하기로 한 시간까지 1분을 남겨두었을 때, 도러시 마틴은 부자연스럽고 높은 음성으로 외쳤다. "계획은 빗나가지 않았습니다!" 시계는 12시를 알렸다. 시계가 울릴 때마다 그 소리는 침묵 속에서 극도로 분명하게 들렸다. 신도들은 미동도 없이 앉아 있었다.
눈에 띄는 반응을 기대한 사람도 있을 것이다. 그러나 자정이 지나고 아무런 일이 일어나지 않아도 … 방 안에 있는 사람들의 반응에서는 크게 눈에 띄는 것이 없었다. 대화도, 어떤 소리도 없었다. 사람들은 얼어붙은 듯 무표정한 얼굴로 꼼짝도 않고 앉아 있었다.[12]

신도들은 몇 시간이나 자리를 지키다가 외계에서 그들을 구원하러 오는 방문자가 없다는 사실을 서서히 받아들였다. 그렇다면 자신의 믿음에 대한 '기대 불일치'로 그들 모두가 믿음을 저버렸을까? 아니었다. 새벽 4시 45분, 마틴은 다른 메시지를 받았노라고 발표했다. 시커스의 흔들림 없는 신념 때문에 신이 세상의 멸망을 중단시켰다는 것이다.

이 모든 것을 보고 페스팅거는 어떤 생각을 했을까? 일련의 믿음에 많은 것을 투자할수록, 그러니까 그 신념을 위해 희생한 것이 많을수록 사람은 실수라고 말하는 증거에 강하게 저항한다. 포기하지 않는다. 오히려 더 몰두한다.

페스팅거는 구술사에서 이렇게 회상했다.

"우리는 이런 예측의 기대 불일치 후에 … 그들이 신념을 버릴 것이라고 예상했습니다. 하지만 몰두하고 있는 신념은 포기하는 게 어렵습니다."[13]

악몽과도 같았던 슈바인푸르트 공습, 1943년의 그 실망스러운 여름과 가을로 돌아가보자. 이런 상황들 때문에 헤이우드 핸셀과 폭격기 마피아가 신념을 포기했을까? 아니었다. 슈바인푸르트 1차 공습 후, 핸셀이 아이라 에이커에게 보낸 8월 17일 자 편지에는 이렇게 적혀 있다.

"레겐스부르크와 슈바인푸르트 작전을 제가 얼마나 자랑스럽게 여기는지는 따로 말씀드릴 필요가 없을 것입니다. 상당한 손실이 있었음에도 저는 그것이 전적으로 정당하다고 생각하며, 전쟁의 전환점 중 하나라고 믿습니다."[14]

물론 그것은 큰 착각이다. 슈바인푸르트는 전쟁의 전환점이 아니었다. 하지만 핸셀에게 왜 그렇게 생각했냐고 묻는다면, 그는 자기 나름의 이유를 댈 것이다. 아직 배우는 중이다, 날씨가 도와주지 않았다. 다음 주에도 출격해서 모든 공장을 완전히 파괴할 때까지 계속 공격해야 했다.● 볼베어링이 최선의 표적이 아니었을 수도 있다. 그럼 다른 것이 있겠지? 정유 시설은 어떨까? 진정한 신자들의 머리는 이런 식으로 돌아간다.

긴밀한 유대로 얽힌 이 집단 밖에는 커티스 르메이가 있었다. 다른 사람들과 마찬가지로, 그 역시 맥스웰필드의 항공단전술학교에서 의무적인 훈련을 받았다. 하지만 그는 폭격기 마피아의 일원이 아니었다. 르메이의 기질에는 모든 지적인 열정에 저항하는 뭔가(방법과 대상에 대한 집착)가 있었다. 그는 조종사들을 표적을 향해 똑바로 오래 비행하도록 만들 수 있었다. 그 과정에서 공황 상태에 빠지지 않게 하는 자제력을 심어줄 수 있었다. 안개 속에서 이륙하는 훈련을 시킬 수도 있었다. 그는 실제적인 도전에 끌렸다. 하지만 신조나 원칙에는 아무런 매력을 느끼지 못했다.

1971년의 인터뷰에서 르메이는 한층 더 직설적이었다. 그는 슈바인푸르트 공습 뒤에 있는 정교한 논리를 전혀 납득할 수 없었다고 말했다. "펜타곤에 앉아서 펜대나 굴리는 분석가들이 저쪽 어디에서 볼베어링 공장을 찾았고, 그 나라 볼베어링 생산의 큰 부분을 차지하는 것으로 짐작되는 그 공장을 파괴하면, 그들에게 베어

●　히틀러의 군수부軍需部 장관이던 알베르트 슈페어Albert Speer는 그의 자서전에서 슈바인푸르트 작전과 그가 "적의 실수"라고 부르는 것에 대해 자세히 언급한다. 그는 이렇게 말했다. "볼베어링 산업에 대한 공격은 갑자기 중단되었다. 연합군은 이미 그들 손에 있는 성공을 내던져버린 셈이다. 그들이 같은 에너지로 … 공격을 계속했더라면 우리는 곧 숨이 넘어갔을 것이다."[15]

링이 없기 때문에 전쟁이 끝난다고 생각한 거죠."

"펜타곤에 앉아서 펜대나 굴리는 분석가." 적을 무력화시키는 방법에 대해 비현실적인 억측을 하고 있는 헤이우드 핸셀과 폭격기 마피아를 지목한 것이다.

르메이는 말을 이었다. "계획은 좋았습니다. 기본적으로는요. 다만 우리는 전쟁에서 쉽게 이기는 법을 찾고 있었는데, 그런 방법은 존재하지 않는다는 게 문제였죠."

커티스 르메이에게 중요한 것은 오로지 최종 결과였다. 그는 레겐스부르크를 공격하는 유인 작전에서 24대의 비행기를 잃었다. 각각의 비행기에는 10명의 승무원이 타고 있었고, 이는 240명의 대원이 기지로 돌아오지 못했다는 의미였다. 다음 날 르메이와 그의 중대 지휘관들은 240통의 편지를 써야 했다. "스미스 부부께, 댁의 아드님은…. 존스 부부께, 댁의 아드님은…."

240통을 말이다. 도대체 뭘 위해서?

켄 이스라엘Ken Israel이라는 항공대 지휘관은 말년의 르메이를 잘 알았다. 그들은 함께 사냥을 다니곤 했다.● 한번은 남부 캘리포니아에 있는 르메이의 집으로 갔다. 새크라멘토 북쪽의 비일Beale 공군기지에서 잡은 꿩을 가져다주기 위해서였다. 이스라엘은 이렇게 회상했다.

● 　르메이는 집 지하에 사격장도 갖추고 있었다. 당연하게도.

저는 초인종을 눌렀습니다. 장군이 대답을 하고 집으로 들어오라고 말했습니다. 저는 "장군님, 여기 꿩을 몇 마리 가져왔습니다"라고 말하면서 현관으로 들어갔습니다. 현관은 온통 대리석이었습니다. 왼쪽 벽에는 레겐스부르크를 그린 커다란 벽화가 있었습니다. … 반대쪽 벽에도 커다란 벽화가 있었습니다. 슈바인푸르트를 그린 것이었죠.

제가 말했습니다. "장군님, 이건 레겐스부르크와 슈바인푸르트입니까?" 장군이 말했습니다. "그렇다네. 우린 거기서 좋은 친구들을 많이 잃었지."

커티스 르메이는 그 어떤 공군 장교보다 화려한 경력을 쌓았다. 그는 레겐스부르크와 슈바인푸르트 공습보다 훨씬 중요한 수많은 작전을 계획하고 지휘했다. 1948년과 1949년에는 냉전 시작의 중추적 사건인 베를린 공중 보급을 맡았었다. 전략공군사령부Strategic Air Command 사령관으로 미국의 핵무기를 책임지는 역할도 했다. 복무하는 동안 그는 상상할 수 있는 세계의 모든 정상과 만났고, 우리로선 역사책에서나 볼 수 있는 온갖 사람과 사진을 찍었다. 그는 집 현관을 이런 기념물들로 채울 수 있었을 것이다. 하지만 그는 그렇게 하지 않았다. 집으로 들어가는 입구에 폭격기 마피아의 신조와 처음 실질적으로 마주했던 때를 상기시키는 물건, 실패와 상실을 상기시키는 물건을 걸어두었다.

칼 노든은 제2차 세계대전 당시 미국에서 사용한 '노든 폭격조준기'를 단독으로 발명한 뛰어난 네덜란드 출신 발명가이다. 항공병들이 '더 풋볼'이라고 부른 이 장비의 무게는 25킬로그램이며, 이 장비를 통해 폭격수는 고도, 풍속, 대기속도 등을 포함한 여러 변수를 고려할 수 있었다. 속설에 따르면 폭격수는 9킬로미터 상공에서 피클 통에 폭탄을 떨어뜨릴 수 있었다.

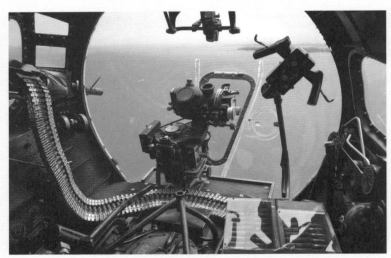

해럴드 조지(왼쪽), 도널드 윌슨(오른쪽), 아이라 에이커(아래 왼쪽), 그리고 다른 폭격기 마피아들은 적 보급망의 중요한 '초크 포인트'를 겨냥한 정밀폭격이 완전한 승리를 가져온다고 확신했다. 그들의 미래지향적 사고는 웨스트포인트(미국 육군사관학교)와 아나폴리스(미국 해군사관학교)에 있는 전통적 양식의 예배당과 근본적으로 대조되는 공군사관학교의 현대적 예배당(아래 오른쪽)에서 잘 나타난다.

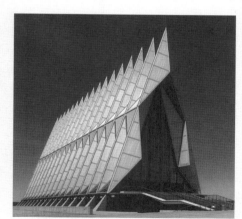

Carol M. Highsmith's America, Library of Congress, Prints and Photographs Division

처칠의 측근이던 프레더릭 린더만(맨 왼쪽)은 무차별적인 도시 공습으로 적의 의지를 무너뜨려야 한다고 믿었다. 사진에서 그는 처칠(오른쪽 두 번째)을 비롯한 다른 영국군 관료들과 함께 대공포 사격을 관람하고 있다.

영국 공군 원수 아서 '폭격기' 해리스는 군과 민간 전초기지를 모두 폭격하는 '지역폭격' 전략을 사용했다.

ullstein bild/ullstein bild via Getty Images

고고도 장거리 폭격기로 개발되어 유럽 전역에서 널리 활약한 B-17 플라잉포트리스는 독일에서 폭격 작전을 수행했다.

B-29 슈퍼포트리스가 태평양 전역의 활주로에서 이륙을 기다리고 있다. B-29는 당시 세계의 어떤 폭격기보다 더 빠르고, 더 높이 더 멀리 날 수 있었다. 이로써 마침내 미 육군항공대는 일본을 타격 범위 안에 넣을 수 있었다.

NARA

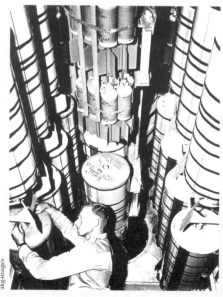

akg-images

도쿄 폭격 전 승무원이 B-29 화물칸에서 폭탄을 확인하고 있다.

하버드대학의 화학 교수 루이스 피
저와 그의 동료 E. B. 허시버그(사진
에는 없음)는 네이팜의 발명으로 이
어진 가연성 젤에 대한 실험을 수행
했다.

최초의 네이팜 실험은 1942년 7월 4일 매사추세츠주 케임브리지의 하버드 경영대학원
뒤에 있는 축구장에서 실시되었다.

소이탄의 위력을 연구하
기 위해 1943년 유타주
더그웨이 실험장에 일본
마을을 본뜬 완벽한 복제
품을 설치했다.

NARA

1945년 1월, 커티스 르메이 소장(왼쪽)은 헤이우드 핸셀 준장을 대신해 마리아나제도의
제21폭격기사령부 사령관이 되었다. 오른쪽은 핸셀의 참모장인 로저 M. 레미 준장이다.

NARA

괌에 있던 육군항공대의 초기 시설은 열악한 천막과 금속 퀀셋 막사 등이었다.

도쿄 폭격 조감도. 1945년
3월 9~10일 밤에는 화재
로 인한 불빛을 240킬로
미터 떨어진 곳에서도 목
격할 수 있었다.

제2차 세계대전의 공습
작전 중 가장 파괴적이었
던 미팅하우스 작전 동안
도쿄에 1,665톤의 네이팜
을 투하했고, 이로 인해
10만 명이 목숨을 잃었다.

1954년의
커티스 르메이 장군.

도쿄공습·전쟁피해센터는 일본 도쿄의 소박한 건물에 자리한다.

2부

유혹

TEMPTATION

작가의 말

《어떤 선택의 재검토》2부의 무대는 괌과 일본 그리고 동양이다. 하지만 거기까지 가기 전에 현재와 좀 더 가까운 이야기를 하나 해보려 한다.

나는 이 책을 쓰기 위해 사전 조사를 하던 중 도쿄를 방문했다. 내 팟캐스트 제작자 제이컵 스미스Jacob Smith와 함께였다. 일본 땅을 밟자마자 제이컵과 나는 택시를 타고 도쿄공습·전쟁피해센터Center of the Tokyo Raids and War Damage라는 이름의 박물관을 찾았다. 내가 다음 몇 챕터에 걸쳐 설명할 사건들에 대한 기록이 남아 있는 곳이다. 폭격기 마피아와 커티스 르메이 사이에 벌어진 투쟁의 결과가 그것이다.

나는 런던의 임피리얼 전쟁박물관 같은 전쟁 박물관을 자주 찾는다. 램베스로드Lambeth Road에 있는 전쟁 박물관은 웅장한 건물에 자리 잡고 있다. 그 외에도 런던에 두 개의 분원이 있고, 전국에 두 개가 더 있다. 이것만 둘러보면서도 몇 주는 보낼 수 있다. 기념관들도 있는데, 이런 곳도 많이 찾아가보았다. 워싱턴 D.C. 몰Mall에 있는 베트남전쟁 재향군인기념관Vietnam Veterans Memorial. 예루살렘의 홀로코스트 기념관 야드바셈Yad Vashem. 하나같이 세계적 건축가들이 디자인한, 마음을 움직이는 강렬한 기념관이다. 모두가 강한 '존재감'을 자랑한다.

그 때문에 도쿄에서 제이컵과 택시를 잡아탄 나는 우리가 박물관이 있을 만한 지역, 황궁 근처의 도시 중심으로 갈 것이라고 생각했다. 아니었다. 우리는 상업 지구와 관광객들로부터 멀어져 반대 방향으로 달렸다. 아주 평범한 상가들이 늘어선 길을 따라 큰 다리를 건너 동쪽으로 갔다. 더 멀리, 더 멀리. 이후 골목으로 좌회전한 운전사가 차를 멈췄다. 무슨 오해가 있었던 게 아닌가 하는 생각이 들었다. 나는 종이쪽지에 주소를 적어왔다. 내가 잘못 적은 것일까? 운전사에게 주소를 보여주었다. 그는 고개를 끄덕이고 손짓을 했다. 눈을 가늘게 뜨고 보니 박물관 표지가 시야에 들어왔다. 우리는 병원 건물같이 보이는 것 앞에 있었다. 3층으로 된 벽돌 건물이었다.

건물로 들어가니 옆쪽에 작은 기념품 가게가 있었다. 사실 진열장 두 개가 전부였다. 그 옆으로 교실처럼 보이는 공간이 있었다. 접이식 의자가 잔뜩 있고, 소개 영상이 상영되고 있었다. 우리는 작은 뜰을 거쳐 주 전시장으로 가는 계단을 올라갔다. 바닥은 리놀륨이었다. 벽에는 여러 개의 흑백사진이 있고, B-29의 축소 모형(장난감 가게에서 살 수 있는 종류)이 천장에 매달려 있었다. 제이컵은 관람을 마치고 박물관 앞에서 내 사진을 찍었다. 나는 그 사진을 휴대폰에 보관하고 있다. 치과에 예약이 있어서 온 사람 같은 모습이다.

우리는 모두 1945년 8월 히로시마와 나가사키에 두 개의 원자폭탄이 떨어졌다는 것을 잘 알고 있다. 에놀라 게이Enola Gay[원자폭탄을 투하한 미 육군항공대 B-29 폭격기의 별칭]에서 리틀 보이Little Boy[포신형 핵폭탄]와 팻 맨Fat Man[내폭형 핵폭탄]을 떨어뜨렸다. '이들' 사건과 관련된 웅장한 기념물과 기념관들이 있다. 이 주제를 다루는 역사책도 수없이 많다. 논란은 오늘날까지도 이어지고 있다. 이 책을 마무리할 때 이 공격의 75주년 기념일이 찾아왔다. 그날과 관련해 우리는 기억을 되살릴 수백 번의 기회를 가졌다.

하지만 도쿄공습·전쟁피해센터는 일본에 대한 핵 공격 '이후' 일어난 일에 대한 것이 아니었다. 공격 '이전', 즉 1944년 11월에서 1945년 늦겨울 사이 일어난 일에 대한 것이었다. 헤이우드 핸셀의 명령에서 커티스 르메이의 명령까지, 옆길로 밀려나버린 역사의 한 조각 말이다.

왜 그 기념관은 골목 구석에 있는 것일까? 어떤 의미에서는 그것이 이 책 2부의 부제이다. 폭격기 마피아와 커티스 르메이가 세계의 다른 쪽으로, 영국과 유럽으로부터 태평양 한가운데에 있는 마리아나제도로 초점을 옮기면서 무슨 일인가가 일어났다. 관련된 모든 사람이 불편한 감정을, 아니 참을 수 없는 감정을, 아니 말로 할 수 없는 감정을, 아니 어쩌면 이 세 가지 감정을 모두 느낀 일이었다.

이것은 전쟁 이야기가 아닌 전쟁이라는 배경에서 일어난 이야기이다. 기념과 관련한 우리의 정상적인 기제는 가끔 작동하지 않을 때가 있다. 다음에 이어질 것은 그 이유를 찾아내려는 시도이다.

6장

"It would be suicide, boys, suicide."

검토:
신념을 버리고
승리하다

"그건 자살행위예요, 여러분. 자살행위라고요"

B-29 슈퍼포트리스

모든 전쟁은 부조리하다. 인간은 수천 년 동안 서로를 없앰으로써 불화를 해결하는 방법을 선택해왔다. 서로를 제거하지 '않을' 때에는 '다음' 기회에 확실히 서로를 제거할 더 나은 방법을 찾기 위해 엄청나게 많은 시간과 관심을 투자한다. 생각해보면 이런 모든 것은 참 이상한 일이다.

이런 부조리도 전반적인 범주를 놓고 보면 그 정도가 나뉜다. 유럽에서 일어난 전쟁은 적어도 이전의 전쟁들과 '닮아' 있었다. 그들은 부조리하되 익숙한 방식으로 부조리했다. 이웃끼리 부딪힌 것이다. D-데이 상륙을 위해서는 영국해협을 건너는 단거리 이동이 필요했다. 영국해협은 '헤엄'을 쳐서 건널 수도 있다. 육지에서는 군대가 소총을 들고 진군했다. 군대는 대포를 쐈다. 일주일의 훈련 시간을 주면 나폴레옹도 20세기의 어떤 장성들과 마찬가지로 유럽 전역의 연합군을 다룰 수 있었을 것이다.

그렇다면 태평양 전역戰域은? 전쟁의 부조리를 연속선으로 표시한다면, 그곳은 가장 극단에 있었다.

미국과 일본은 역사상 그 어떤 대결 상대들보다 서로 접점이 적고, 서로에 대해 아는 것이 없었다. 더 중요한 것은 그들이 지리적으로 어떤 전쟁 상대보다 멀리 떨어져 있었다는 점이다. 태평양 전쟁은 그 정의상 해상전이었지만, 충돌이 격화하면서 공중전이 되었다. 태평양 전장의 규모는 그 전쟁을 이전에 누구도 싸워보지 못한 종류의 공중전으로 만들었다.

예를 들어, 진주만 공격 당시 미 육군항공대의 주력기는 플라잉포트리스Flying Fortress라고도 알려진 B-17 폭격기였다. 르메이와 아이라 에이커, 핸셀이 유럽에서 사용했던 것이다. 플라잉포트리스의 항속거리는 약 3,200킬로미터였다. 출격하는 데 1,600킬로미터, 돌아오는 데 다시 1,600킬로미터를 날 수 있었다는 얘기이다. 1944년 1월, 도쿄에서 1,600킬로미터 이내에는 연합군 통제하의 공군기지가 없었다. 오스트레일리아는 일본에서 6,400킬로미터 이상 떨어져 있었다. 하와이도 그 정도로 멀었다. 지도상으로는 필리핀이 가장 적절했다. 하지만 필리핀은 일본 점령 아래 있었고, 1945년 말에야 완벽하게 탈환했다. 어쨌든 마닐라도 도쿄에서 2,900킬로미터 떨어져 있었다.

미국에서 출격해 일본에 폭탄을 떨어뜨리고 싶다면 어떻게 해야 할까? 그 문제를 해결하는 것이 전쟁의 중요한 부분이었다. 첫 단계는 항속거리가 4,800킬로미터 넘는 역사상 가장 큰 폭격기

B-29 슈퍼포트리스를 만드는 것이었다.

다음 단계는 서태평양 중앙에 늘어선 세 개의 작은 섬, 즉 사이판·티니언·괌을 탈환하는 것이었다. 일본이 지배하는 마리아나제도의 섬들이었다. 마리아나제도는 바다를 사이에 두고 도쿄에서 2,400킬로미터 떨어진 곳에 있다. 활주로를 건설할 수 있는 가장 가까운 장소였다. 마리아나제도에 B-29 부대를 둔다면 일본을 폭격할 수 있다. 일본인도 그 점을 알고 있었다. 이로 인해 또 하나의 부조리한 순간에 이른다. 요컨대 이 전쟁이 발발하기 전에는 서태평양 밖의 누구도, 그 누구도 들어본 적 없는 세 개의 작은 화산섬에서 이 전쟁을 통틀어 가장 험악한 전투가 벌어졌다.

해병대가 호출을 받았다. 참전 용사 멜빈 돌턴Melvin Dalton 상등병은 그 전투를 이렇게 회상했다.

우리의 주된 임무는 적의 저항을 약화시켜서 아군 병력이 상륙정을 타고 해변으로 들어올 수 있도록 하는 것이었습니다.
2~3일 후 … 다음 날 새벽, 바다는 해안에 접근하려는 선박과 상륙정으로 가득했습니다. 갑자기 믿을 수 없는 총성이 들렸습니다. (눈물) 여기저기 시체가 떠다녔습니다. 아무도 시체를 거둘 시간이 없었습니다. 시체는 이후에 거두었습니다. 해병들이 상륙거점을 칠 때면 가끔 끔찍한 일이 벌어졌습니다.[1]

1944년 여름, 섬들은 하나씩 미 해병대에 함락되었다.* 그 결과 헤이우드 핸셀이 새롭게 창설된 제21폭격기사령부를 지휘하기 위해 워싱턴에서 날아왔다. 제21폭격기사령부는 공군에서 최신의 가장 치명적인 무기, 즉 B-29 슈퍼포트리스로만 이루어진 엘리트 부대였다. 이 사령부의 임무는 공중에서 일본의 군수산업에 심각한 타격을 입혀 군 지도부가 불가피하다고 생각하는 방법, 곧 일본 내륙 침공을 위한 길을 닦는 것이었다.

일본 공습을 이끈 것은 핸셀의 경력에서 가장 중요한 임무였다. 그 시점에서 그것은 육군항공대 전체에서 가장 중요한 일이었을 것이다. 하지만 공습 계획은 모든 면에서 부조리했다. 심각하게 부조리했다. 우선 B-29부터 생각해보자. 1944년 B-29는 급하게 실전에 배치한 신형 항공기였다. 고장이 잦았다. 엔진에 불이 붙었다. B-29에 대한 적절한 비행 훈련을 받은 사람도 전혀 없었다. B-29에는 갖가지 문제가 있었다.••

이 새로운 무기는 공군기지 내 상상할 수 있는 가장 열악한 장소에서 출격해야 했다. 마리아나제도는 덥고 습기가 많았으며 모기가 득시글댔다. 비가 억수같이 퍼부었다. 제대로 된 건물이나 격

● 정확한 사망자 수는 알려지지 않았지만 마리아나제도 작전 말기에 1만 4,000명 이상의 미국인이 사망, 부상, 혹은 전투 중 행방불명된 것으로 추정된다. 이 제도에 주둔하고 있던 약 3만 명의 일본군은 거의 전멸했다. 현재 타나팍 항구Tanapag Harbor가 내려다보이는 사이판섬의 기념비에는 5,204명의 이름이 새겨져 있다.

●● 슈퍼포트리스 초기 버전의 한 가지 문제는 엔진이 쉽게 과열된다는 것이었다. 당시 B-29 조종사가 가장 걱정한 것은 적의 사격이었고, 두 번째가 엔진에 불이 붙는 것이었다.

납고, 정비 시설, 길도 없었다. 퀸셋식 막사가 전부였다.* 헤이우드 핸셀, 유럽에서 히틀러를 상대로 공중전 계획을 세우던 장군도 별수 없이 보이스카우트처럼 캠핑을 해야 했다.

육군간호대의 비비언 슬라빈스키 Vivian Slawinski 소위는 미국이 탈환한 초기의 티니언섬이 어떤 형편이었는지 회상했다.

"바위가 정말 많았어요. … 쥐가 있었죠. 서까래 위에요. 제가 가장 참기 힘들었던 부분이에요. 가끔은 내려와서 사람들의 머리카락까지 갉아먹었어요. 제 손 가까이 온 적도 몇 번 있었죠. … 병원도 없었어요. 우리에게 있는 것이라곤 퀸셋 막사뿐이었죠."

인터뷰 진행자가 금속 막사라서 더웠겠다고 말하자 그녀는 이렇게 답했다. "말도 마세요. 어디에 있든지 더웠어요."[2]

마리아나제도의 유일한 장점은 일본이 항속거리 내에 있다는 것이었다. 하지만 그것도 과장이었다. 사실 '완벽한 조건 아래서만' 항속거리 내에 있었다. 일본까지 가기 위해서는 우선 9톤의 추가 연료를 실어야 했다. 그 무게면 항공기가 위험할 정도의 중량 초과 상태이다. 그 때문에 B-29의 동체를 활주로에서 이륙시키기 위해서는 강한 역풍이 필요했다. 전쟁 내내 사람들이 직면했던 것만큼

---

* 르메이가 이상적인 것과는 거리가 먼 이런 조건에 전혀 휘둘리지 않았음은 말할 필요도 없을 것이다. 사실 그는 아내에게 이 섬의 우울한 상황을 거의 익살에 가까운 낙관적 태도로 전했다. "여기 해변은 그리 나쁘지 않아요. 산호가 많지 않고, 있다고 해도 대부분이 썩어서 그 때문에 다칠 일은 없어요. 바다민달팽이가 꽤 많지만 녀석들이 성가실 일은 없어요. 이것이 바닥을 망치기는 해요. 하와이에서 우리가 본 것처럼 바닥에 붉은 얼룩이 생기거든요."[3]

이나 말도 안 되는 상황이었다.

상황은 더 악화됐다. 1944년 늦가을, 핸셀은 첫 번째 대규모 도쿄 공격에 착수할 준비를 갖췄다. 전쟁이 끝난 후, 그는 콜로라도 스프링스의 공군사관학교에서 생도들에게 이렇게 설명했다.

"일본에 대한 첫 작전은 샌 안토니오 원San Antonio One이라고 불렸습니다. 이 작전은 합동참모본부의 전략과 조율된 것이기 때문에 시기가 극히 중요했습니다."

핸셀의 부대는 1944년 11월 17일 출격하기로 했다. 모든 준비가 끝났다. 날씨도 좋아 보였다. 육군에서는 새벽부터 활주로를 따라 기자들을 세워두었다. 플래시 전구, 카메라, 마이크가 동원됐다. 핸셀은 작전에 앞서 직접 브리핑을 했다.

"바짝 달라붙어. 전투기 공격 때문에 대형이 흩어져서는 안 된다. 그리고 표적에 폭탄을 떨어뜨리도록."**4**

폭격기들이 도열해 있었다. 폭격기는 왕복 비행을 위한 추가 연료로 기체가 무거운 상태였고, 활주로로 불어오는 예의 강한 맞바람의 도움을 받아 이륙할 참이었다.

그런데 그날 아침은 맞바람이 불지 않았다.

핸셀이 회상하듯이 "명령은 내려졌다. 항공기들은 예열을 마치고 우리가 만든 활주로 끝으로 내달렸다. 바로 그 순간, 지난 6개월 동안 활주로로 끊임없이 불던 바람이 잦아들었다".

중량이 초과된 핸셀의 B-29들은 이륙할 수 없었다. 다시 바람이 불었지만 방향이 반대였다. 방향을 돌리면 이 119대의 비행기

어떤 선택의 재검토

가 임무를 수행할 수 있지 않았을까? 불가능했다. 거기엔 한 방향으로 난 활주로뿐이었다. 절반만 포장되어 있었던 것이다. 작전을 취소할 수밖에 없었다.

상황은 더 악화됐다. 날씨가 '다시 한번' 변한 것이다. 핸셀의 이야기는 이렇게 이어진다.

3~4시간 뒤 우리는 강한 열대성 폭풍, 허리케인, 태풍에 갇혔습니다. 폭풍은 6일간 계속되었고 주둔지는 온통 진창으로 변했습니다. 그동안 B-29는 폭탄을 적재한 채 대기했습니다. 명령은 이미 떨어졌습니다. 우리는 정보가 누설될까 봐 크게 걱정했습니다. 바꾸기에는 너무 늦었죠. 저는 매일같이 생각했습니다. 어쩌면 해낼 수 있을 거야. 우리는 허리케인을 추적하기 위해 기상관측 항공기를 띄워 해안으로 보냈습니다. 허리케인은 일본으로 가는 항로에 있었습니다. 결국 우리는 일주일 후에야 작전에 나설 수 있었습니다.

핸셀은 1967년 공군 사관생도들이 가득한 자리에서 이런 발언을 했다. 청중 대부분은 베트남전쟁(부조리의 연속선에서 가장 끝에 있는 또 다른 전쟁)에 투입될 참이었기 때문에 핸셀의 말을 한마디도 놓치지 않았다. 그는 그들이 다음으로 가게 될 곳인 아시아에서 싸운 경험을 갖고 있었다.

누군가가 이 노장군에게 질문했다. "바람이 잦아들고 방향이 바뀌지 않았다면요? 1944년 11월 17일 아침 B-29를 전부 출격시켰다면 어떻게 되었을까요?" 그 생도는 지적했다. "제시간에 이륙했다면 조직 전체를 잃었을 수도 있었습니다".

핸셀이 대답했다. "분명히 그랬겠죠."

핸셀을 비롯한 육군항공대는 오늘날과 같은 정교한 전자항법 기술을 갖고 있지 않았다. 부대 전체가 착륙하지 못한 채 공중에 있었을 것이다. 각기 11명의 승무원이 탑승한 119대의 B-29. 1,309명이 연료계의 눈금이 0으로 향하는 가운데 하늘을 계속 돌면서 태풍 한가운데에서 활주로 불빛을 찾아 헤매다가 이내 하나씩 바다에 삼켜졌을 것이다.

폭풍은 6일간 계속됐다. 핸셀은 이야기를 이어갔다.

"몇 시간만 빨리 출격했다면, 기상 상황이 두어 시간만 늦게 바뀌었다면, 폭격기 부대 전체를 잃을 수도 있었습니다. 달리 갈 곳이 없었으니까요."

정밀폭격 신조에 대한 헤이우드 핸셀의 믿음은 슈바인푸르트의 재앙 속에서 한 번 시험에 들었다. 하지만 그의 믿음은 온전하게 살아남았다. 마리아나제도에서 그의 신념은 두 번째 시험에 들었다. 이번에는 맥스웰필드 세미나실의 폭격기 마피아들은 생각조차 해본 적이 없던 일을 통해서였다.

험프

1944년 헤이우드 핸셀이 마리아나제도에 배치됨과 동시에, 커티스 르메이 역시 유럽에서 태평양 전역으로 자리를 옮겼다. 새롭게 편재된 또 다른 B-29 엘리트 폭격기 부대, 즉 동인도 콜카타(옛 명칭은 캘커타) 인근에 주둔한 제20폭격기사령부를 이끌기 위해서였다.

콜카타는 일본에서 (직선거리로) 가장 가까운 인도의 도시로, 인도 북동쪽 끝에 위치한다. 영국령 인도는 더없이 안전한 피난처였기 때문에 B-29가 그곳에서 이륙해 중국 청두 인근의 상당히 위태로운 지역에 구축한 이착륙장으로 날아간다는 아이디어가 나온 것이다. 거기서 연료를 보급한 뒤, 일본으로 날아가서 폭탄을 떨어뜨리고, 청두로 돌아와 재급유를 한 뒤 콜카타 기지로 귀환한다. 거리상으로 보면 로스앤젤레스에서 뉴펀들랜드로 가는 길에 시카고에서 재급유를 하는 것과 비슷했다.

그런데 중요한 점이 하나 있다. 콜카타와 청두 사이에는 히말라야가 있다. 세계에서 가장 높은 산맥 말이다. 조종사들은 히말라야를 '험프Hump[혹]'라고 불렀다. 마리아나제도에서 출격하는 공중전이 부조리하다고 생각한다면, 이건 훨씬, 훨씬 더 끔찍하다.

르메이는 험프를 비행하는 것에 대해 이렇게 묘사했다. 르메이가 어떤 것에 대해서도 불평하는 법이 없었다는 것을 기억하라.

아주 끔찍한 지옥이었습니다. … 산맥은 극심한 하강기류, 강풍, 갑작스러운 눈보라 등 갖가지 위험한 기상 상황이 차려진 뷔페 테이블이었습니다. 이 모든 메뉴가 영하 20도에서 제공되었죠. 상상을 돕기 위해 덧붙이자면, 비행경로에서 불과 240킬로미터 떨어진 구름 사이로 솟아오른 8,848미터의 에베레스트 봉이 종종 승무원들의 눈에 띌 정도였습니다.[5]

전쟁이 계속되는 동안, 이 험프를 넘어가려다 충돌한 미국 항공기는 몇 대나 될까? 700대였다. 이 비행경로는 '알루미늄 트레일aluminum trail'이라고 불렸다. 산맥 위에 온갖 비행기 잔해가 흩어져 있었기 때문이다.

설상가상으로 청두의 공군기지에는 항공 연료가 없었다. 허허벌판이기 때문에 가설 활주로 외에는 아무것도 없었다. 긴 시간이 흐른 후, 르메이의 부하 중 한 명인 데이비드 브레이든David Braden은 전 공군 준장 앨프리드 헐리Alfred Hurley와 인터뷰를 가졌다. 험프를 넘는 모든 조종사가 불평을 했다.

브레이든: 그건 정신 나간 짓이었습니다. 청두로 연료를 보내는 유일한 방법은 험프를 넘는 것이었습니다. 때로는 역풍이 있어서 연료 1리터를 험프 너머로 보내는 데 B-29의 연료 12리터가 들었습니다.
헐리: 터무니없는 일이었지.

브레이든: 미친 짓이었죠.[6]

청두에서도 대부분의 일본 영토는 B-29의 항속거리를 넘었다. 비행기들은 도쿄같이 먼 곳까지 갔다가 돌아올 수 없었다. 그들이 할 수 있는 최선의 일은 일본 남서쪽 끝, 연합군이 관심을 가질 만한 공장이 단 하나라도 있는 곳을 물어뜯는 것이었다.

브레이든은 이렇게 회상한다. "청두에서 날아가면 일본 규슈에 닿을 수 있습니다. 규슈에는 표적이 단 하나뿐이었죠. 제철·제강소였습니다. … 그곳까지 가서 임무를 수행하면 모두가 지쳐버렸습니다."[7]

르메이가 어떤 상황에 직면했는지 보여주기 위해 1944년 6월 13일 콜카타에서 출격한 작전의 전형적인 모습을 살펴볼까 한다. 인도에서 92대의 B-29가 이륙했다. 12대는 험프를 넘기 전에 돌아왔다. 한 대는 충돌했다. 중국까지 간 것은 79대였다. 그들은 급유를 하고 다시 이륙했다. 한 대는 이륙 직후 추락했다. 네 대는 기계적인 문제로 돌아왔다. 6대는 폭탄을 버려야 했다. 한 대는 일본으로 향하는 도중 격추되었다. 규슈의 날씨는 끔찍했다. 그 때문에 제강소까지 간 것은 47대뿐이었다. 그중 15대만이 제강소를 실제로 볼 수 있었다. 임무를 완료할 때까지 그들은 7대의 비행기와 55명의 대원을 잃었다. 실제로 표적을 타격한 폭탄의 수는 … 단 한 발이었다.

92대의 B-29를 보내 지구 반 바퀴를 돌게 한 후 얻은 것이 고

작 표적에 떨어뜨린 단 하나의 폭탄이었다.

일본은 제20폭격기사령부를 신나게 가지고 놀았다. 그 유명한 선동가 도쿄 로즈Tokyo Rose[태평양전쟁 당시 일본 제국의 라디오 선전 방송인 '라디오 도쿄'를 진행하던 여성 아나운서를 일컫는 말]는 연합군 항공병들을 향해 이런 방송을 했다.

> "청년들, 내 말을 들어요. 험프를 넘어 다시 인도로 돌아가요. 다들 죽는 건 생각하기 싫어요. 당신들이 빠져나가기에는 우리의 전투기와 대공포가 너무나 많아요. 그건 자살행위예요, 여러분. 자살행위라고요."**8**

이것이 1944년 가을 태평양에서 벌어진 항공전의 상황이었다. 누구의 상황이 더 부조리했을까? 커티스 르메이? 헤이우드 핸셀? 아주 쉬운 질문이다. 괌에서의 일본 공격은 힘들었다. 인도에서의 일본 공격은 미친 짓이었다.

그보다는 이런 부조리한 곤경이 이들의 사고방식에 어떤 '영향'을 미쳤는지 묻는 것이 낫지 않을까? 정체성 자체가 문제 해결에 집중되어 있는 르메이부터 시작해보자. 그것이 르메이가 세상을 이해하는 방법이었다. 그는 인간적 매력이 있거나 카리스마가 강한 사람이 아니었다. 두뇌 회전이 특히 빠른 사람도 아니었다. 그는 실천가였다. 이후 그가 표현했듯이 말이다. "저는 갈팡질팡하면서 아무것도 못 하는 사람보다는 어리석더라도 잘못된 것일지언정 뭔가를 하는 사람을 원합니다."**9**

그것이 르메이의 가치관이다. 그렇다면 작전 지역에서 수천 킬로미터 떨어진 인도에 주둔하며 해결할 수 없는 문제를 해결하라는 주문받고 있는 그를 상상해보라. 히말라야 반대편으로 1리터의 연료를 보내기 위해 12리터의 연료를 써야 하는 상황에서는 효과적인 공중전을 펼칠 수 없다. 제아무리 기발하고 하나만 바라본다 해도 히말라야라는 장애를 극복할 수는 없다.

지금까지 르메이가 남긴 것들에 대한 수많은 검토 및 재검토가 있었다. 이를 통해 태평양에서의 항공전을 장악한 이듬해 봄, 그가 그런 일을 하게 된 동기는 무엇일까에 관한 다양한 이론이 나왔다. 나는 가장 먼저 가장 쉽게 생각할 수 있는 설명은 이것이 아니었을까 추측한다. 즉 문제 해결자가 마침내 행동의 자유를 얻었고, 이제 그는 어떤 것도 자신을 가로막게 두지 않을 작정이었다.

그리고 헤이우드 핸셀이 있었다. 그가 직면한 곤경은 달랐다. 그는 진정한 신자였다.

제트기류

폭격기 마피아의 강직한 구성원답게 헤이우드 핸셀이 마리아나제도에 도착해 처음으로 한 일은 일본의 전시 경제에서 무엇이 가장 취약한 부분일까라는 질문을 던진 것이었다. 나의 새로운 B-29

부대가 공격해야 할 것은 무엇인가? 그에게는 당연한 답이 있었다. 일본의 항공기 제조 공장이었다. 그렇다면 일본의 항공기 제조 공장은 어디에 있을까?

핸셀은 이렇게 회상한다. "사이판에는 40~50대의 B-29가 있었고, 데드라인은 10월 30일이었습니다. 항공기 산업에 대한 작전에는 데드라인이 있었죠. … 하지만 우리에겐 표적철標的綴[표적 정보를 기록해놓은 서류철]이 없었습니다. 우리는 일본 항공기 산업이 어디에 있는지 알지 못했습니다."

공중정찰을 위해 개조한 B-29가 미국에서 출발했다. 그들은 일본 항공 산업, 특히 오늘날 스바루Subaru라고 알려진 나카지마 비행기 주식회사Nakajima Aircraft Company가 도쿄와 그 주변에 밀집해 있다는 것을 보여주는 수백 장의 사진을 찍었다. 연합군은 나카지마가 일본 전투기 엔진의 많은 부분을 담당하고 있다는 걸 알고 있었다. 핸셀은 말했다. "그 공장을 타격하는 것으로 시작하자. 그러면 일본의 전투력에 심각한 손상을 입힐 수 있어."

샌 안토니오 원 작전은 비중 있는 첫 번째 임무였다. 태풍으로 인한 손실을 겨우 빗겨간 작전이기도 했다. 일주일을 기다린 끝에 핸셀의 비행기들이 마침내 이륙했다.

B-29는 마리아나제도에서 이륙해 몇 킬로미터 높이에서 대양*을 건넜다. 일본에 접근하자 그들은 위험을 피하기 위해 고도를 높였다. 후지산에서 방향을 바꿔 도쿄 서쪽으로 들어섰다. 육군 항공대의 전쟁 영상에는 도쿄가 내려다보이는 항공사진에 어떤 일

　　　　　　　　어떤 선택의 재검토

이 일어났는지 설명하는 로널드 레이건의 목소리가 입혀져 있다.

6시간 후, 구름 사이로 일본의 오랜 상징인 후지산이 보였습니다. 이내 현대적인 상징들이 더해졌습니다. 인광탄과 대공포, 그리고 전투기. 황궁을 중심으로 반경 24킬로미터 내에 700만 명의 일본인이 살고 있습니다. 과거 우리가 몸집 작고, 얌전하고, 예의 바르고, 분재와 암석정원을 만들고, 누에를 치는 데에나 신경 쓰는 것으로 알고 있던 사람들이 말입니다. 하지만 이들이 추구하는 것은 누에도 황궁도 아니었습니다. 도쿄 외곽에는 거대한 나카지마 항공기 공장이 있었습니다. 자, 뭘 기다리고 있었을까요?[10]

과장이 좀 있었다.

샌 안토니오 원은 대단히 상징적이었다. 이 작전은 일본이 손 닿는 곳에 있다는 것을 증명했다. 그렇다면 군사작전으로서는 성공적이었을까? 전쟁이 끝난 후 공군사관학교 생도들에게 강연하면서 핸셀은 그럴듯하게 덧칠을 했다. "작전은 우리가 만족할 만한 성과를 거두지 못했지만, 첫 시도로서 우리가 할 수 있다는 가능성을 보여주었습니다. 그것은 당시 대단히 의심스러운 문제였습니다."

"작전은 우리가 만족할 만한 성과를 거두지 못했다"는 것은 아무리 양보해도 매우 절제된 표현이다. 첫 공습은 나카지마 공장에 겨우 1퍼센트의 피해를 입히는 데 그쳤다. 핸셀은 3일 후 재시

도에 나섰다. 폭탄은 단 하나도 공장을 맞추지 못했다. 12월 27일
에는 72대의 B-29를 보냈다. 그들 역시 공장을 맞추지 못했고, 병
원 한 곳에 불을 냈다. 결국 핸셀은 공장을 다섯 차례 공격했지만
거의 건드리지도 못했다.

그 원인 중 일부는 폭격기 마피아가 유럽에서 겪었던 것과 동
일한 문제였다. 구름이 그것이다. 폭격수들은 노든 폭격조준기로
표적을 찾았지만 발견할 수 없었다. 날씨와 관련한 또 다른 문제도
있었다. 당시의 누구도 이해할 수 없는 훨씬 큰 문제였다.

BBC 다큐멘터리에는 헤이우드 핸셀 휘하 B-29 조종사 중 한
명인 에드 하이어트Ed Hiatt 대위의 인터뷰가 포함되어 있는데, 그는
한 작전에 대해 이렇게 묘사했다.

> 6시간을 비행한 후 폭격 고도로 올라갔습니다. … 11킬로미터까
> 지 고도를 높였고, 폭풍에서 빠져나오자마자 바로 앞에 후지산
> 이 보였습니다. 정말 멋진 풍경이었습니다.

하이어트의 폭격수 글렌Glenn은 나카지마 공장에 초점을 맞추
고 노든 폭격조준기로 계산을 시작했다. 하지만 폭격조준기의 망원
경이 접근하고 있는 표적에 맞춰지지 않았다. 하이어트의 이야기는
이렇게 이어진다.

> 그가 뒤를 돌아보며 말했습니다. "이 망할 망원경을 표적에 맞출

수가 없습니다.”⋯ 우리는 무선병을 호출해 우리의 대지속도對地速度[항공기가 어떤 침로나 궤도를 따라 지표면을 항주하는 평균속도]를 확인했습니다. ⋯ 그가 125노트의 순풍을 받고 있다고 답했습니다. 그러곤 우리가 시속 770킬로미터 정도로 비행 중이라고 했습니다. 그건 불가능합니다. 그럴 리가 없었습니다. 그런 식으로 바람이 불고 있지 않았습니다.

“그런 식으로 바람이 불고 있지 않았다.”

육군항공대의 어떤 조종사도 일본 상공에 있는 B-29 폭격기에 일어난 일을 경험한 적이 없었다. 그들은 '그런 식'의 바람을 예상하지 못했다.

“우리는 시속 550킬로미터로 비행해야 하는 상황에서 시속 770킬로미터로 비행하고 있었습니다. ⋯ 저는 말했죠. '글렌, 망할 폭탄을 떨어뜨려.' 그는 폭탄을 떨어뜨렸지만, 바람 때문에 우리는 이미 표적에서 20킬로미터 지나쳐 있었습니다.” 하이어트의 말이다. 그들은 당황했다. 기지에 돌아와서도 상관에게 이 일을 적절히 설명할 수 없었다.

보고를 받은 상관들은 꼬치꼬치 캐물었습니다. 우리 얘기를 믿으려 하지 않았죠. “일본 상공에 시속 220킬로미터의 바람 같은 건 없어.” 그들이 말했어요. “그런 건 존재하지 않아. 그런 식의 바람은 있을 수가 없지. 너희가 거짓말을 하고 있어. 표적을 맞히지 못해놓고 변명을 하는 거야." 우리는 비행기에 작전 장교를 태우고 있었습니다. 그가 사실을 확인해주었습니다. 그가 말했죠. "그 정도로 강한 바람이 있었습니다."

제21폭격기사령부에는 기상학자 팀이 있었다. 그들은 시카고 대학교에서 교육을 받았다. 기상학자들은 폭격 작전의 성공에 대단히 중요했다. 정교한 레이더가 없던 시절에는 특히 더 그랬다. 표적 위에 구름이 있는지, 사령부를 집어삼킬 태풍이 도사리고 있는지 알아야 했다.

하지만 그 시대의 기상학자들이 이용할 수 있는 도구는 조잡했다. 여담이지만, 제2차 세계대전에 대해 우리가 가장 쉽게 잊는 것 중 하나가 그 전쟁이 우리와는 기술적인 면에서 전혀 다른 시대에 벌어졌다는 점이다. 반쯤은 20세기, 반쯤은 19세기였다. 당시 기상학자들이 가장 많이 이용한 도구는 풍선이었다. 바람, 온도, 습도를 기록하고 그 정보를 무선으로 지상에 보고하는 작은 기구를 장착해 대기 중으로 날려 보내는 기상관측용 풍선 말이다.●

네바다주 소재 사막연구소Desert Research Institute 부설 국립초강력 폭풍연구소National Severe Storms Laboratory의 연구원 존 루이스John M. Lewis는 전쟁 중에 육군항공대와 함께 일한 많은 기상학자를 알고 있었다.

● 기상관측용 풍선은 오늘날의 기상학자도 사용한다. 전 세계 900개 지점에서 하루 두 번 수소나 헬륨을 채운 풍선을 동시에 날려 보낸다. 풍선에 장착된 라디오존데radiosonde 라는 기구가 기압, 온도, 습도를 측정해서 그 정보를 지상의 추적 장비로 전달한다.

나는 그에게 기상관측용 풍선을 밧줄로 지상과 연결할 수는 없는지 물었다. 그는 이렇게 답했다.

"아, 안 되죠. 풀어놔야 합니다. 풍선이 대기 중으로 높이 올라갈수록 압력은 낮아지기 때문에 결국은 풀리게 됩니다. 계속 늘어나다가 쾅 하고 폭발하죠. 장착된 기구와 함께 지상으로 떨어집니다. 당시에는 모든 기구 곁면에 다음과 같은 메시지를 부착해두었습니다. '이것을 시카고대학으로 보내주실 수 있을까요? 주소는 다음과 같습니다.'"

물론 기계의 반환을 기대한다는 것은 태평양 전역에서는 가능하지 않은 일이다.

태평양 한가운데에 있는 기상학자들에게 가장 중요한 업무 중 하나는 언제 폭격기를 출격시킬지 알아내는 일이었다. 그들은 크게 당황했다. 조종사들이 보고한, 일본 상공의 이 엄청나게 빠른 바람은 뭐란 말인가?

나는 루이스에게 후지산 주변의 바람이 그 정도로 강할 거라고 예측할 수 있을 만한 이유가 있었는지 물었다. 그는 대답했다. "조종사들이 돌아올 때까지도 결론을 내리지 못했습니다."

1944년 일본 폭격 작전이 끝나면 승무원들은 기지로 돌아와 같은 이야기를 전했다. 에드 하이어트는 훗날 이렇게 회상했다.

이 바람이 얼마나 거셌는지 이야기를 하나 해드리겠습니다. 한 번은 정찰기가 공습이 얼마나 효과적이었는지 확인하는 타격 사진을 몇 장 찍기 위해 작전 지역으로 갔습니다. 항법사가 조종사를 호출하더니 시간당 5킬로미터씩 후진하고 있다고 말했죠. 어떻게 손을 쓸 수가 없는 문제였습니다. 동쪽에서 서쪽으로 간다면, 일본의 전투기와 대공포에 손쉬운 먹잇감이 될 테니까요.

조종사들이 만난 바람은 이후 제트기류(약 6킬로미터 상공에서 시작되어 상층부 대기 내에서 지구 전체를 도는 빠른 공기 흐름)로 알려졌다. 오이시 와사부로大石和三郎는 1920년대 일련의 획기적인 실험 끝에 제트기류를 발견했다. 하지만 오이시는 그 시대에 잠깐 유행했던 에스페란토라는, 인위적으로 만든 언어에 몰두에 있었기 때문에 자신의 발견을 에스페란토어로만 발표했다. 읽을 수 있는 사람이 거의 없었다는 뜻이다. B-29가 비행하는 고도까지 올라가본 사람이 거의 없었기 때문에 제트기류에 대한 직접적인 보고도 없었다. 불가사의로 남아 있었던 것이다.•

존 루이스는 내게 제트기류를 이렇게 설명했다.

"이 대단히 좁고 빠른 기류는 양 반구 모두 북쪽에서 남쪽으로 움직입니다. 기본적으로는 이 기류가 매우 차가운 극지방 공기

• 오이시 이후 제트기류를 접한 사람이 몇 명 있기는 했다. 1930년대 스웨덴 출신 기상학자 칼-구스타프 로스뷔Carl-Gustaf Rossby는 제트기류와 훗날 로스뷔파波라는 이름이 붙은 유형의 대기파를 발견하고 그 특징을 밝혀냈다. 1935년 미국 조종사 윌리 포스트Wiley Post는 제트기류를 직접 경험한 최초의 인물이 되었다. 대담한 비행 실험으로 유명한 포스트는 고고도 대륙 횡단비행 시도 중 제트기류라는 강한 바람을 발견했다. 제트기류jet stream라는 용어는 한 독일 기상학자가 이 강한 바람을 strahlströmung이라고 표현하면서 생겨났다.

를 보다 따뜻한 중위도, 적도의 공기와 나눕니다."

제트기류의 폭이 얼마나 되느냐고 묻자 그는 이렇게 대답했다. "보통은 폭 200킬로미터 정도라고 말할 수 있습니다. 1,000킬로미터까지 되는 경우는 절대 없고 드물게 500킬로미터, 때로는 100킬로미터 정도입니다."

아무도 그런 기류가 지구 전체를 돌고 있다는 걸 알지 못했을 정도로 새로운 발견이었다. "미국과 일부 유럽 국가의 고층 대기를 정기적으로 관찰하기 시작한 1950년대 초에야 발견했죠." 루이스의 설명이다.

제트기류는 지구 전체를 순환하는, 좁은 띠 형태의 믿을 수 없을 정도로 빠른 바람이다. 여름이면 극지방으로 물러났다가 겨울 동안 적도 쪽으로 움직인다.

1944년 겨울과 1945년 봄, 허리케인의 위력을 가진 이 좁은 띠 형태의 기류가 바로 일본 상공에 있었다. 이 때문에 핸셀의 조종사들은 계획했던 대로 정밀폭격을 실행할 수 없었다. 이 기류를 가로지르면 비행기는 옆으로 밀려난다. 제트기류 안으로 날아 들어가면 높은 고도를 유지하기 힘들고, 따라서 일본군의 쉬운 표적이 된다. 기류를 따라가면 비행 속도가 너무 빨라져 정조준을 하기 힘들다.

맥스웰필드에서 1930년대에 부화해 칼 노든이라는 천재를 통해 활기를 얻은 꿈은 일본 상공에서 막을 수 없는 힘에 부딪혔다. 이는 폭격기 마피아가 슈바인푸르트나 레겐스부르크에서 직면했던 장애와는 전혀 다른 종류였다. 그곳에서라면 핸셀은 문제를 해결할 수 있다고, 공습은 더 향상되고 더 정확해질 수 있다고 스스로 정당화할 수 있었다. 모든 혁명가는 급진적 변혁으로 가는 길이 결코 평탄하지 않다는 것을 알고 있다. 소프트웨어 프로그래머들은 베타 버전을 만들 때 우선 1.0버전을 내놓고 이후 2.0버전을 내놓는다. 처음부터 제대로 만들 수는 없다는 걸 알기 때문이다.

하지만 일본 상공의 제트기류 경우에는 2.0버전이 없었다. 핸셀이 자신의 신념을 강화하기 위해 이용할 수정본이 없었다. 제트기류가 있는 한 고고도 정밀폭격은 불가능했다.

혁명가들의 꿈은 예상치 못한 장애에 직면했다. 경험 부족이나 서두름, 계산 착오 같은 이성적 장애물이 아닌 요지부동의 장애물과 마주하자 그들의 꿈은 뒤틀렸다. 그렇게 약해진 좌절의 순간, 꿈이 산산이 부서진 헤이우드 핸셀은 광야의 예수처럼 유혹에 내던져졌다. 《성경》에는 이런 구절이 있다.

예수께서 성령의 충만함을 입어 요단강에서 돌아오사 광야에서 40일 동안 성령에게 이끌리시며 마귀에게 시험을 받으시더라.[11]

마귀는 어떤 일을 했을까? 그는 예수를 높은 산꼭대기(전설에서는 예루살렘과 여리고 사이의 봉우리)로 이끌어 그에게 눈에 보이는 모든 것에 대한 권력을 주겠노라고 제안했다.

어떤 선택의 재검토

마귀가 예수를 이끌고 올라가서 순식간에 천하만국을 보이며 이르되 "이 모든 권위와 그 영광을 내가 네게 주리라. 이것은 내게 넘겨진 것이므로 내가 원하는 자에게 주노라. 그러므로 네가 만일 내게 절하면 다 네 것이 되리라".[12]

다 가질 수 있다. 적을 상대로 승리를 거머쥘 수 있다. 6킬로미터 상공에서 보이는 모든 것을 지배할 수 있다. 그저 신념을 버리기만 하면 된다.

7장

"If you, then, will worship me, I will all be yours."

네이팜:
목적을 위해 가장
필요한 것은
무엇일까?

"그러므로 네가 만일 내게 절하면 다 네 것이 되리라"

뭔가를 태워버릴 더 좋은 방법

헤이우드 핸셀이 직면한 유혹에 대해 이야기하려면 이번 장에서는 비행기와 폭격 비행, 그리고 일본 상공의 거센 바람에서 벗어나 어떤 회의에 대해 먼저 다루어야 한다. 전쟁 초기 매사추세츠주 케임브리지에서 열린 비밀회의였다.

그 자리에는 MIT 총장을 비롯해 노벨상 수상자, 스탠더드 정유개발회사Standard Oil Development Company 대표, 하버드대학의 루이스 피저Louis Fieser 교수, 그리고 자기 분야의 거물임은 물론 훗날 이 모임의 회장이자 정신적 지주가 된 MIT의 호이트 핫텔Hoyt Hottel 교수 등이 참석했다. 이 회의는 나중에 국방연구위원회National Defense Research Committee, 즉 NDRC가 될 조직의 요청으로 열렸다.

NDRC는 미군을 위한 새로운 무기 개발을 책임진 정부 단체였다. 가장 유명한 활동은 물론 로스앨러모스Los Alamos의 연구소에서 이루어진 수십억 달러 규모의 원자폭탄 개발 계획, 즉 맨해튼 프로젝트였다. 그러나 전쟁을 위한 막후 활동의 규모는 엄청났다. NDRC 맨해튼 프로젝트 외에도 다른 여러 프로젝트가 진행되고 있었다. NDRC 지휘하에 구석진 곳에서 비밀리에 계획을 진행하는 사람들이 있었다. 누구의 귀에도 들어가지 않는 작전들이 시작됐다. 한쪽에서 이런 아이디어를 추진하고 있는가 하면, 다른 쪽에서는 그와 충돌되는 아이디어를 추진했다. 진부한 표현을 사용하자면, 전쟁 기간 동안 미국 정부의 오른손은 왼손이 무슨 일을 하는지 전혀 알지 못했다. 그렇게 왼손이 비밀리에 진행한 프로젝트 중 하나가 호이트 핫텔의 소위원회였다.

로스앨러모스의 천재들과 달리 이들은 물리학자가 아니었다. 그들의 일은 뭔가를 날려버릴 더 좋은 방법을 찾는 것이 아니었다. 그들은 화학자였다. 특히 산소, 연료, 열을 결합했을 때의 결과를 연구하는 전문가였다. 그들이 맡은 일은 뭔가를 태워버릴 더 좋은 방법을 찾는 것이었다.

호이트 핫텔은 전쟁이 끝난 후 이렇게 회상했다.

"1939년이 되자 많은 사람이 우리가 곧 전쟁에 참여할 거라고 생각했습니다. 그런데 우리나라의 전쟁 준비는 형편없는 상태였죠. … 소이탄燒夷彈[사람이나 시가지·밀림·군사시설 등을 불태우기 위한 탄환]에 대해 더 많은 것을 알아야 할 필요가 있었습니다."

화학자와 업계 관계자, 노벨상 수상자로 이루어진 핫텔의 그룹은 가능할 때마다 만남을 갖기 시작했다. 그들은 계획하고, 손보고, 생각했다. 1941년 5월 28일, 시카고에서 열린 회의에서 그들은 첫 번째 진정한 돌파구를 찾았다. 위원회에서 핫텔은 델라웨어의 듀폰DuPont 화학 공장에서 얼마 전 일어난 이상한 사고에 대해 이야 기했다. 듀폰의 한 연구팀이 디비닐아세틸렌divinylacetylene이라는 것에 대한 연구를 진행하고 있었다. 이 물질은 원유 부산물인 탄화수소로, 색소와 섞으면 페인트가 마르면서 강하고 두꺼운 접착성 필름이 만들어진다. 하지만 이 필름은 계속해서 화염을 생성했고, 이것이 듀폰 같은 페인트 회사의 고민거리였다. 하지만 NDRC 화학 위원회처럼 불에 집착하고 있는 사람들에게는 대단히 '매력적인' 일이었다.

회의 테이블에 앉아 있던 한 사람이 손을 들었다.

"제가 조사해보겠습니다."

하버드대학의 화학 교수 루이스 피저였다. 피저는 1899년 오하이오에서 태어났다. 윌리엄스대학에서 화학을 전공했고, 하버드 대학에서 박사 학위를 취득했으며, 옥스퍼드대학과 프랑크푸르트 대학에서 박사 후 과정을 밟았다. 전쟁 전 그는 최초로 비타민 K를 합성했다. 연구 조교는 그의 아내 메리 피저Mary Fieser였다. 그녀도 남편에 뒤지지 않는 명석한 인재였다. 당시 여성은 화학 교수로 임용되지 못했기 때문에 강단에 설 수 없었지만 남편과 함께 20세기 최고의 화학 교과서를 집필했다. 루이스는 심한 대머리에 약간 살집이 있었으며, 콧수염을 공들여 기르고 줄담배를 피웠다.

루이스 피저는 상상력이 뛰어나고 엉뚱한 생각을 많이 하는 사람이기도 했다. 1964년 발표된 그의 과학 회고록은 전시 연구에 대한 이야기로 시작하나 곧 브랜드 인지도를 고려해 하버드 캔들Harvard Candle이라는 이름을 붙인 소형 화염 폭탄에 대한 상세한 설명으로 방향을 바꾼다. 책에는 박쥐에 방화 장치(소이탄)를 부착하는 것에 대한 장이 있다. 수천 리터의 유막에 불을 붙이는 방법을 자세히 설명하는 부분도 있다. 다람쥐를 막는 새 사료통에 대한 상세한 계획도 있다. 심지어 자신이 키우는 여러 마리의 고양이 중 샴종인 싱 카이 푸Syn Kai Pooh에게 할애한 장도 있다.

과학사연구소Science History Institute의 기록 보관소에는 피저의 동료 한 명의 긴 인터뷰 자료가 있다. 윌리엄 폰 에거스 도링William von Eggers Doering이라는 이름의 이 사람은 예일과 하버드에서 수년간 화학을 가르쳤다. 인터뷰는 몇 시간이나 이어졌다. 묘하게 사람을 사로잡는 인터뷰였다. 이 자료는 엉뚱한 괴짜의 행태가 얼마간은 허용되는 과학자 세계를 엿볼 수 있게 해준다. 도링은 전쟁 초기 피저의 연구실에서 행한 연구를 이렇게 기억했다.

우리는 도대체 어떤 물질을 연구하고 있었을까요? 그것은 트리니트로벤질질산염trinitrobenzyl nitrate이었습니다. (웃음) … 들어보세요. 그것을 어디에 쓰느냐. 카리우스Carius 시험관을 아세요? 시험관은 일종의 분석을 위한 것이었습니다. 고온에서 질산에 무엇인가를 침지浸漬시켜보는 거죠. 지름 2.5센티미터, 길이 60센티미터 정도에 3밀리미터 두께의 시험관이 있습니다. 거기에 20~30그램의 TNT를 넣고 브롬bromine을 좀 과하게 붓습니다. 용제는

　　　　　　　　　　　어떤 선택의 재검토

없이요. 그 망할 시험관을 밀봉해서 철제 폭탄 안에 넣죠. 폭탄은 온도를 높이기 위해 전선으로 감아줍니다. (웃음) … 이렇게 발열 시험관을 작은 공간 안에 집어넣으면 폭발하면서 유리가 벽의 이 좁은 부분에 부딪히겠죠. (웃음) 왼쪽으로, 다른 것은 오른쪽으로요. 물론 시험관의 절반도 날아가죠!

도링이 그 세대 최고 화학자 중 하나였다는 것을 생각하라. 그는 1939년 첫 과학 논문을, 2008년 마지막 논문을 발표했다. 80년간 연구에 매진한 것이다. 내가 본 모든 사진에서 그는 물방울무늬 나비넥타이를 하고 있었다. 하지만 이 인터뷰에서 그는 화학 실험 용품을 얻은 열세 살짜리 아이 같았다.

연구실은 브롬으로 아주 더러워집니다. 뭐 그래도 TNT가 언제 폭발할지 궁금하니까요! (웃음) … 세상에! 정말 멋진 시간이었어요! 독일에는 특정한 사람을 묘사하는 말이 있습니다. '티어리쉬 에른스트tierisch ernst'라고, 그런 것들에 대해 동물적인 진지함을 가졌다는 뜻이에요. 당시에는 분명 그런 것들이 아주 드물었죠. (웃음)

대학원생들은 늘 담배를 물고 연구실로 내려오는 루이스 피저에게 짓궂은 장난을 하곤 했다.

루이스는 사람들과 이야기하기 위해 들어왔다가 항상 끄지 않은 담배를 싱크대에 던져버렸어요. 그 때문에 그가 내려올 때를 예측해서 싱크대에 에테르를 부어두었죠. (웃음) 불이 붙기를 바라면서 말이에요. (웃음)

"불이 붙기를 바라면서 말이에요!" 불은 피저의 지하 실험실 사람들에게 단순한 호기심의 대상이 아니었다. 집착과 강박의 대상이었다. 호이트 핫텔이 소위원회에서 듀폰의 페인트 혼합물에 든 어떤 물질이 저절로 타오른다는 이야기를 했을 때, 바로 손을 든 사람이 누구였겠는가? 당연히 피저였다. "제가 조사해보겠습니다."

그리고 피저는 조사를 위해 곧바로 지하 연구실의 또 다른 구성원에게 도움을 구했다. 자서전에서 그는 이렇게 말한다. "내가 자원한 데에는 평상시 우리 연구팀에 위험한 화학물질을 실험하고 평가하는 데 이상적인 자격을 갖춘 사람이 있다는 이유가 큰 몫을 했다. 허시버그E. B. Hershberg 박사였다."

나는 허시버그의 아들 로버트 허시버그Robert Hershberg와 이야기를 나눌 때 그의 아버지가 처음 어떻게 피저와 만났는지 물었다. 로버트는 이렇게 답했다. "첫째, 그분은 보스턴 출신이었습니다. 가장 빠르고 간결한 답은, 거기엔 유대인을 고용할 만한 곳이 아주 제한적이었다는 것이겠죠. 피저 씨는 종교에 별로 신경 쓰지 않았습니다. 그래서 아버지는 그 연구소에 들어가셨죠."

피저의 말에 따르면 허시버그는 "유기화학 분야에서 대단히 원숙한 실험주의자였으며 … 엔지니어링, 기계 제도mechanical drawing, 목공 … 사진 등에 정통했다. 더구나 허시버그는 … 군용 폭약, 신관, 독가스, 연막통, 수류탄 등을 다룬 경험도" 풍부했으며 "허시버그 교반기, 허시버그 교반 모터, 허시버그 녹는점 측정 장치 등 매우 다양한 기기"를 발명했다.

로버트는 이렇게 회상했다.

지하에서 우리는 폭탄과 그런 성격의 것들을 해체했습니다. 저는 폭발이 일어났을 때의 사진들을 갖고 있습니다. 소이탄이 책상 서랍에 들어 있었죠. … 발화장치가 들어 있는 공책 같은 것도 있었습니다. 포로가 되면 펜을 꺼내서 원하는 대로 무엇이든 30분 정도 적다가 그것이 폭발해서 건물을 날려버리기 전에 빠져나오는, 뭐 그런 물건이었죠.

허시버그는 그런 사람이었다.

루이스 피저는 페인트를 발화하게 만든 듀폰의 화합물, 즉 디비닐아세틸렌을 조사하기 위해 델라웨어로 갔다. 그는 하버드로 돌아온 후 허시버그와 함께 그 물질을 만들기 시작했다. 두 사람은 이 물질을 팬에 넣고 피저의 지하 실험실 창턱에 올려두었다. 그들은 그 물질이 액체에서 점차 진하고 점성 있는 젤로 변하는 것을 발견했다. 그들은 막대기로 젤을 찔러보았다. 불을 붙이고 관찰했다. 여기서 피저의 책을 인용해보자. 대단히 중요한 통찰이기 때문이다.

점성 있는 젤은 불이 붙어도 액체가 되지 않고 끈적끈적한 농도를 유지했다. 이 실험을 통해 불타는 거대한 점성 젤 방울을 흩뿌리는 폭탄에 관한 아이디어가 나왔다.

폭탄을 떨어뜨리면 젤이 흩어진다. 혼자만 타는 게 아니라 커다란 젤 방울이 사방으로 날아가고, 그 방울은 어디가 됐든 착지한 표면에 달라붙어 계속 불타오른다.

허시버그와 피저는 이 새로운 방화 젤이라는 개념을 시험해볼 방법을 찾아야 했다. 그래서 연구실에 60센티미터 높이의 작은 나무 구조물을 짓고 어떤 조합의 젤 제형이 그 구조물을 잘 태우는지 비교했다. 디비닐아세틸렌의 효과는 좋았다. 하지만 고무와 벤젠으로 만든 젤은 더 좋은 효과를 냈고, 가솔린은 벤젠보다 더 좋았다. 그들은 호박색의 훈연 고무판으로 실험을 해보았다. 연한 색의 크레이프 고무도. 고무 라텍스도. 가황 고무도. 그들은 모형을 만들어 여행 가방에 넣고 메릴랜드주로 향하는 기차에 올랐다. 짐꾼에게 가방을 들게 했다. 짐꾼은 이렇게 말했다.

"이렇게 무거운 걸 보면 폭탄이라도 들어 있나 보죠?"

이어서 그들은 나프텐산알루미늄으로 실험을 해보았다. 뉴저지주 엘리자베스에 있는 화학 공장에서 만드는 끈적끈적한 검은색 타르였다. 이 타르는 가솔린과 잘 섞이지 않았으나 그들은 팔미트산알루미늄을 섞어 문제를 해결했다. 이렇게 가솔린을 나프텐산알루미늄aluminum naphthenate, 팔미트산알루미늄aluminum palmitate과 혼합해 탄생한 것이 네이팜Napalm이다.

《네이팜: 미국의 일대기Napalm: An American Biography》의 저자 로버트 니어Robert Neer는 네이팜이 왜 그토록 효과적인지 이야기해주었다.

효과적인 소이탄을 원한다면, 점성 있는 것이 그렇지 않은 것보다 훨씬 더 효과적입니다. 무엇에든지 달라붙어 거기에 복사에너지를 전달하니까요. 그래서 네이팜이 효과적인 것입니다.
젤형 재료가 너무 부드럽고 약하면 접착한 대상에 많은 양의 복사에너지를 전달하지 못합니다. 가솔린으로 채운 화염병을 생각해보세요. 가솔린을 폭발시켜 그걸 다른 곳에 묻히는 화염병 말입니다. 화염병은 사람이나 물건을 끔찍하게 태울 수는 있지만 불은 비교적 빨리 꺼질 것입니다. 반면, 네이팜은 터졌을 때 어떤 대상에 달라붙습니다.
그들은 지나치게 묽은 젤을 사과 소스라고 불렀어요. 무시하는 의미가 포함된 표현이죠. 사과 소스는 다른 것에 달라붙을 만큼 진하고 단단하게 뭉쳐 있질 않습니다. 점성이 적당해야 큰 덩어리를 형성할 수 있죠. 너무 진하지도 너무 묽지도 않은 적당한 정도의 균형을 이루어야 합니다. 그것이 네이팜을 통해 그들이 떠올린 것입니다.

니어와 나는 하버드 경영대학원 바로 뒤에 있는 축구장을 방문했다. 메인 캠퍼스와는 강을 사이에 두고 있었다. 허시버그와 피저가 1942년 네이팜을 실험한 장소가 바로 이곳이다. 허시버그는 이 새로운 젤을 폭탄으로 바꿀 방법을 알아냈다. 네이팜을 담은 금속 용기 중앙에 황린黃燐층으로 감싼 TNT 막대를 삽입하는 것이다. 인燐은 매우 높은 온도에서 타기 때문에 TNT가 폭발하면, 불타는 인이 네이팜 젤로 들어가서 불을 붙이고, 네이팜 방울을 사방으로 흩어지게 한다. 폭탄 외피로는 원래 머스터드 가스mustard gas [화학전에 쓰이는 독가스]를 담기 위해 고안된 것을 사용했다.

> 1942년, 독립기념일이었습니다. 그들은 2월 14일 밸런타인데이에 젤형 소이탄의 배합 공식을 완성했습니다. 이어서 황린 파열 발화 시스템을 생각해내고, 군에서 폭탄 외피를 가져다가 시제품을 만들었죠.
> 그들은 바닥에 구멍을 팠습니다. 구멍은 지름이 30미터는 되었을 것입니다. 사람이 다치는 것을 원치 않았기 때문에 상당히 큰 구멍을 팠죠. 그리고 이 엄청나게 큰 네이팜을 터뜨리기 위해 용기에 넣었습니다. 폭탄을 구멍 중앙에 놓고, 케임브리지 소방서에서 보낸 물차로 구멍에 물을 채웠습니다.

네이팜이 탄생한 것이다. 세례洗禮는 하버드대학 축구 경기장 한가운데, 20센티미터 깊이의 물속에서 이루어졌다. 이 실험에 대하 조사한 로버트 니어는 그날의 사진들 속에서 세부적인 것들을 알아냈다.

실험 초반에 찍은 사진에는 흰옷을 입고 테니스 코트에서 테니스를 치는 사람들이 있습니다. 폭탄이 터진 후에는 테니스 코트가 비어 있는 것을 볼 수 있죠. … 사람들에게 네이팜을 실험할 것이라고 말했는지도 모르고, 그냥 테니스를 치게 놔둔 채 실험을 했는데 모두가 도망친 것일 수도 있죠. 어느 쪽인지는 모르겠습니다. 이 실험으로 다친 사람은 아무도 없었습니다. 폭탄이 폭발한 뒤, 그들은 네이팜 방울의 분포 상황과 불이 꺼진 방울의 크기에 대한 상세한 목록을 작성했습니다. 그것이 가장 효과적인 젤 농도를 결정하는 부분이었기 때문이죠.

피저와 허시버그는 자신들이 만든 것을 국방연구위원회로 가져갔다. 핫텔은 모두가 애타게 찾고 있던 것을 마침내 발견했음을 직감했다. 하버드대학에서 만들고 굽이도는 찰스강 가의 축구장에서 다듬어진 네이팜이었다.

일본을 위한 무기

네이팜이 무엇을 위한 것인지에는 의문의 여지가 없었다. 일본에 사용하기 위한 것이었다.

진주만 공격이 있고 몇 개월 뒤, 두 명의 미국 분석가들이 〈하퍼스 매거진Harper's Magazine〉에 기사를 실었다. 저자들은 일본에 보복

할 때가 오면, 아주 쉬운 방법이 있다고 주장했다. 바로 불이었다. 그들의 사례 연구 대상은 오사카였다. 오사카의 거리는 대단히 좁다. 거리가 좁다는 것은 불이 한쪽에서 반대편으로 쉽게 옮겨갈 수 있다는 뜻이다. 그리고 오사카에는 방화대firebreak 역할을 하는 공원이 많지 않다.

더구나 서구와 달리 일본의 도시들은 벽돌과 회반죽으로 만들지 않았다. 가옥의 들보, 장선長線, 바닥이 모두 나무였다. 천장은 생선 기름을 적신 무거운 종이로 만들었다. 벽은 나무나 얇은 벽토였다. 안에는 다다미라는, 짚으로 만든 돗자리가 있었다. 일본의 집들은 불쏘시개였다.

분석가들은 이렇게 적었다. "많은 계산을 거쳐 우리는 가연 범위가 약 65제곱킬로미터라는 판단을 내렸다. 이는 오사카 중심부의 80퍼센트이다. 런던으로 계산하면 15퍼센트 정도이다."[1]

80퍼센트면 거의 도시 전체이다. 이 기사를 쓴 사람들은 군 장교도, 백악관의 정책 결정권자도 아니었다. 적국 도시 한 곳의 80퍼센트를 전소시켜 날려버릴 수도 있다는 생각은 이단적이다. 남북전쟁 당시 연합군을 이끌고 남부를 초토화시킨 윌리엄 셔먼William Sherman 장군은 애틀랜타를 불태운 것으로 유명하다. 하지만 애틀랜타 전체는 아니었다. 상업 지구와 공업 지구에 국한되었다. 집에 있는 민간인은 아니었다. 하지만 진주만 공습 이후 이런 이단적인 생각이 그리 이단적이지 않게 보이기 시작했다. 일본의 많은 산업 생산이 민간인 집에서 이루어지지 않나? 많은 전쟁 물자가 공장에서는 물론이고 평범한 사람들 집 거실에서 만들어지는 것이 사실 아닌가? 이런 점진적인 합리화 과정이 자리를 잡기 시작한 것이다.

육군대학원의 역사가 타미 비들은 이렇게 설명한다.

일본에 관한 문제에서 우리는 스스로한테 이렇게 말하게 되었습니다. "도시에는 산업 시설이 많아." 영국인들이 지역폭격으로 전환하면서 되뇌었던 말이기도 하죠. 도덕적 원칙을 따르는 사람으로서 밤에 다리를 뻗고 자고 싶고, 자신의 행동과 스스로의 원칙을 조화시키려면, 자기가 하는 일이 옳다고 스스로를 설득할 수 있는 언어와 개념을 찾아야 합니다.
그때의 결정은 이런 거였죠. "그래 인정사정 볼 것 없어. 이 나라를 무너뜨리려면 할 수 있는 건 뭐든지 해야 해."

호이트 핫텔은 그런 합리화의 속삭임을 들었다. 그가 〈하퍼스 매거진〉의 기사를 읽었을까? 아마 그랬을 것이다. NDRC는 그에게 전쟁 무기로서 소이탄의 효용성을 조사하라고 지시했고, 훌륭한 과학자이기도 했던 그는 이 새로운 무기, 즉 네이팜을 실험해보기로 결심했다. 그리고 가장 정교한 전쟁 실험에 착수했다. 유타사막 한가운데 있는 3,200제곱킬로미터의 육군 더그웨이 실험장Dugway Proving Ground에서 소이탄 실증 실험을 하기로 한 것이다.
핫텔은 이렇게 회상한다. "장성들은 과학자가 하는 일을 믿지 않습니다. 그들은 자신이 가시화할 수 있다고 생각하는 것만을 믿죠. 우리는 일본과 독일의 마을을 만들어야 했습니다. 이런 것들을 건설하는 데 엄청난 수고를 들였죠."

그들은 유타사막 모래 위에 적국의 가옥들을 완벽하게 본뜬 모형 세트 두 개를 만들기로 했다.

핫텔은 최고의 건축가들을 데려왔다. 독일 마을을 위해서는 1920~1930년대에 가장 아름다운 아르데코art déco[1920년대에 프랑스를 중심으로 유행했던 장식미술] 건물들을 설계했던 뛰어난 유대계 독일 건축가 에리히 멘델존Erich Mendelsohn을 끌어들였다. 일본 마을을 위해서는 일본에 수년간 거주했고 오늘날까지도 일본이 최고의 서구 건축가로 손꼽는 안토닌 레이먼드Antonin Raymond를 호출했다.

핫텔은 이 모형 마을에 어느 정도 신경을 썼는지 회상했다.

"우리는 일본 가옥의 가장 큰 특징인 5센티미터 두께의 볏짚 매트, 즉 다다미가 중요하다고 판단했습니다. 그것이 폭탄이 한 층에서 다른 층을 뚫고 나아가는 데 가장 큰 저항력을 주기 때문입니다. 따라서 다다미를 만들어야 했죠."

그들은 24개의 일본식 모형 거주지를 지었다. 각기 두 개의 가구가 있는 12개 단지였다. 일본식 미닫이문인 쇼지障子와 일본식 덧창의 완벽한 복제품을 구현했다.

안토닌 레이먼드도 정확한 기준을 마련했다. 이에 관해 핫텔은 이렇게 말했다. "레이먼드는 이런 것을 만드는 작업이 뉴저지에서 자신의 감독하에 이뤄지길 바랐죠. 그런데 우리가 마을을 짓는

곳은 유타였고, 목재는 태평양에 있었고, 가구 제작은 뉴저지주에서 이루어져야 했습니다. 말도 안 되는 일이었죠."

프로젝트 책임자 슬림 마이어스Slim Myers 역시 완벽주의자였다.

"슬림은 '빌어먹을, 우리는 완벽하게 일을 해야 해요. 장군들은 정말 똑같은 것을 만들 때까지 손을 떼지 못하게 할 거라고요. 제대로 해야만 합니다'라고 말했습니다."

1943년 여름, 핫텔의 모형 마을은 실험 준비를 마쳤다. 군은 더그웨이에 폭격기 부대 하나를 배치했다. 한 대씩 차례로 소이탄을 떨어뜨렸다. 한 차례의 폭격이 끝날 때마다 지상 팀은 피해를 입은 부분을 모조리 복구했다. 핫텔이 처음 실험한 것은 영국의 테르밋thermite 폭탄이었다. 영국 공군 사령관 아서 해리스가 독일 야간 공습 때 즐겨 사용했던 폭탄이다. 그들은 그 결과를 M69 폭탄 안에 넣은 허시버그와 피저의 네이팜과 비교했다. 호이트 핫텔과 그의 팀은 실험을 지켜보면서 점수를 기록했다.

"우리는 일찌감치 소방차가 올 때까지 기다릴 수 없다는 판단을 내렸습니다. 불을 잡기 위해 달려가야 했죠. 사실, 폭탄이 전부 떨어지기 전부터 달려들어야 했습니다."

핫텔은 눈앞에서 펼쳐지는 화재를 그 파괴력에 따라 (a) 6분 안에 걷잡을 수 없게 되는 것, (b) 방치할 경우 파괴적인 것, (c) 파괴력이 없는 것, 이렇게 세 가지 범주로 구분했다. 네이팜은 일본 가옥에 대한 첫 번째 범주에서 68퍼센트의 성공률로 손쉽게 승자의 자리를 차지했다. 억제할 수 없는 정도의 화재를 일으킨 것이다.

반면, 영국의 테르밋 폭탄은 한참 뒤떨어진 2위였다. 네이팜을 통해 미국은 대단히 우수한 무기를 만들었다. 이 새로운 폭탄을 얼마나 자랑스럽게 여겼는지 육군에서는 그에 대해 극찬하는 홍보 영상을 만들 정도였다.

> M69 폭탄의 주요 구성요소는 특수 처리한 젤형의 가솔린을 담은 치즈 주머니[M69에 들어간 소이탄이 화학물질 덩어리를 박스에 싼 형태이기 때문에 치즈 주머니라고 불렀다]입니다. 불이 붙으면 여기에 채워진 젤이 불타는 끈적끈적한 덩어리가 되어 직경 1미터 이상까지 퍼집니다. … 이 물질은 약 섭씨 540도로 8~10분간 타오릅니다. … 공중에서 떨어뜨리는 M69는 38개씩 묶여 있습니다. … 이 뭉치가 해체되어 열리고, 거즈gauze 띠가 매달린 개별 폭탄이 표적을 향해 떨어집니다.[2]

유혹에 지지 않는

당신이 더그웨이 실험장에서 우연히 이 실증 시험을 참관한 폭격기 마피아의 일원이라고 상상해보라. 눈앞에는 일본 마을이 정교하게 재현되어 있다. B-29, '당신'의 B-29들이 맹렬한 화재를 일으킬 화물을 떨어뜨리기 위해 하강하는 쇳소리가 들린다. 그리고 주택들이 화염에 휩싸이는 것을 본다. 이 모든 일의 의미를 어떻게 받아들이겠는가?

아마도 당신은 크게 당황했을 것이다. 폭격기 마피아는 노든 폭격조준기의 잠재력에 매료되어 있었다. 기술을 이용해 전쟁을 재정의하고, 전쟁을 보다 인간적으로 만들고, 전장에서 장군들의 살인 충동을 억제하는 기계에 말이다. 기술 혁신의 목적은 인간이 파괴적인 일을 행하는 방법을 개선하는 데 있다! 그러나 인간의 창의성과 과학을 그렇게 사용하지 못한다면, 그것이 도대체 무슨 '의미'란 말인가?

그런데 갑자기 당신은 유타사막 깊숙한 어딘가에 서 있다. 따가운 햇살 아래에서 노든 폭격조준기에 돈을 댄 그 동일한 미군이 승인하고 자금을 댄 군사훈련을 목격한다. 이 사람들은 과학과 창의성을 소이탄을 만드는 데 사용하고 있다. 지독하고 무차별적인 화재를 일으키려는 의도로 하늘에서 떨어뜨릴 물건을. 당신은 가장 중요한 산업 시설이라는 표적 이외에 다른 것은 타격하지 않기 위해 갖은 공을 들여왔다. 그런데 육군은 정밀폭격 장치를 이용해 사람들의 집을 날려버리려 한다. 정부(워싱턴에 있는 당신의 상관들)가 당신의 원칙과 180도 반대되는 전략을 추구하고 있다. 그들은 뉴멕시코사막에서 진행되는 극비 연구에 대해서는 언급조차 하지 않는다. 세계에서 가장 똑똑한 사람들이 수백만 달러의 돈을 받아서 세계 정치의 구도를 영원히 변화시킬 정도의 엄청나게 비극적이고 파괴적인 문제를 만들고 있다. 자, 이렇게 소이탄이 정밀폭격 원칙에 대한 배신이라면, 원자폭탄은? 맙소사. 그것은 과학기술의 유다Judas이다.

처음의 격분이 지나가면 아마 당신에게는 두 번째 생각이 찾아올 것이다. 뜻밖의 생각. 유혹이 말이다.

네이팜은 헤이우드 핸셀과 정밀폭격기들이 지금까지 전쟁에서 부딪쳤던 모든 문제를 해결할 것이다. 정밀폭격은 효과가 없었다. 핸셀은 전쟁 역사를 통틀어 그 어떤 전투 사령관이 직면했던 것보다 어려운 조건 속에서 고투하고 있었다. 그의 비행기들은 도쿄 상공의 바람과 구름 때문에 목표물을 타격할 수 없었다. 생각은 이렇게 나아간다. 아무것도 조준할 필요가 없다면? 그냥 모든 걸 태워버리면? 이곳은 불쏘시개나 마찬가지이다. '헤이우드는 그저 네이팜으로 전환하기만 하면 된다.' 일본인을 상대로 사기폭격을 가한다. 다만, 영국이 독일에 사용했던 폭탄보다 훨씬 치명적인 것을 쓸 뿐이다. '일본인 거주지에 6분 안에 통제 불가능한 화재를 일으킬 확률, 즉 카테고리 (a)의 성공률 68퍼센트에 빛나는 폭탄을.'

성경 속 예수는 사탄의 유혹을 받으며 광야에서 40일 낮 40일 밤을 보낸다. 헤이우드 핸셀은 1944년 11월 24일 일본에 대한 첫 공습을 시작했다. 제21폭격기사령부의 지휘관으로서 마지막 날은 1945년 1월 19일이었다. 마리아나제도라는 광야에서 그 55일은 그에게 그동안 싸워왔고 믿어왔던 모든 것을 버리고, 그 대신 일본이란 적을 무릎 꿇게 할 기회를 얻고 싶은 유혹에 내던져진 시간이었다.

그 55일에 걸쳐 핸셀에게 쏟아지는 압력은 점점 거세졌다. 군은 마리아나제도로 수천 통의 네이팜을 보냈다. 그들은 핸셀에게 일본에 전면적인 방화 공격을 시도해보라고, 그저 시도만 해보라고 권했다.

핸셀은 작전을 할 때마다 거의 항상 B-29를 한 대씩 잃었다. 마리아나제도로 되돌아올 때는 허용되는 실수의 범위가 너무 좁았기 때문에 손상 입은 비행기가 때로 귀환 길에 태평양에 빠지곤 했다. 다시는 그들을 볼 수 없었다. 사기는 떨어졌다. 한 해 전만 해도 정밀폭격의 전망에 대해 말도 안 되게 낙관적이었던 핸셀 장군도 화가 잔뜩 난 어두운 분위기를 풍겼다. 또 한 번의 작전이 주요 표적을 완전히 놓친 채 실패로 끝난 후, 핸셀의 핵심 참모 중 한 명인 에밋 '로지' 오도널Emmett 'Rosie' O'Donnell은 부하들 앞에서 브리핑을 했다. 그는 부대원의 기운을 돋아주기 위해 애를 쓰고 있엇다.

"힘들다. 힘든 작전이다. 하지만 나는 제군들이 자랑스럽다. 우리는 모두 잘해낼 것이다."[3]

핸셀이 일어서더니 얼음물을 끼얹었다.

"나는 로지의 의견에 동의하지 않는다. 나는 제군들이 여기서 밥값을 못 하고 있다고 생각한다. 이런 식으로라면 … 작전은 실패할 것이다."[4]

핸셀은 사람들이 모두 모인 자리에서 자신의 참모를 무안하게 만들었다. 부하들의 존경을 바라지 않는 사람이 아닌 한 어떤 사령관도 하지 않을 일이었다.

역사학자 스티븐 맥팔런드는 내게 핸셀을 이렇게 묘사했다.

그는 어떤 면에서는 비극적인 인물입니다. 그가 잘하는 것은 생각이죠. 그는 이 전략의 수립을 도왔고, 독일과 일본의 폭격으로 이어지는 계획을 세우는 데 도움을 주었습니다. 그는 철학자에 가까웠습니다. 사상가였다고 할 수 있습니다. 말하자면, 모범생 스타일이었죠.

그는 전투 장교는 아니었습니다. 훌륭한 리더가 아니었습니다. 고매한 이상을 이야기하는 사람이었습니다. … 그는 절대 욕을 하지 않았습니다. 절대 욕을 입에 담지 않는 전쟁 사령관은 조종사들에게 그리 인정을 받지 못했습니다. 그들은 실제적인 사람, 현실이 어떤지 이해하는 사람을 원했습니다.

결국 핸셀은 점점 고립되었다. 역사가 타미 비들은 이렇게 표현한다.

사령관이 어떻게 진행할지에 대한 계획을 가지고 명령을 내릴 때라면, 무엇보다 우선적으로 그 계획에 대한 믿음이 있어야 합니다. 그것을 믿어야만 합니다. 자신이 하고 있는 일에 대한 믿음도 없이 그렇게 많은 사람을 전장으로 보낼 수는 없으니까요.

사람들을 전장으로 보내려면, 그 일을 성공시키기 위해, 그들의 목숨을 정당화하기 위해, 그들의 피를 정당화하기 위해 어떤 일을 해야 하는지에 대한 확실한 생각을 갖고 있어야 합니다.

1944년 10월부터 12월 사이 핸셀이 하려고 애쓰던 그런 치열하

어떤 선택의 재검토

고 심각한 일을 하는 전장의 사령관이라면 그 일에 집착하고 있을 수밖에 없을 겁니다. 제 생각에 그는 머릿속에 한 가지를 떠올렸고, 그걸 실현하기로 결정한 것 같습니다.

12월 말의 어느 날, 육군항공대의 이인자 로리스 노스태드는 핸셀에게 직접 명령을 내렸다. 일본 나고야에 가능한 한 빨리 네이팜 공격을 시작하라는 지시였다. 노스태드의 말에 따르면 그것은 "기획 목적을 달성하기 위해 급히 필요한 일"이었다.[5] 핸셀은 시범 작전을 수행했고, 그때 불태운 것은 그 도시의 1만 2,000제곱미터라는 얼마 안 되는 면적이었다. 이후 그는 인상을 쓰고, 무시하고, 일을 지연시키고, 다른 임무를 마치면 언젠가는 더 큰 규모로 작전을 시도하겠다고 약속하는 등 실행을 미뤘다.

그는 유혹에 지지 않았다.

그가 유혹에 굴복하지 않자 노스태드가 워싱턴에서 날아왔다. 그 순간을 상상할 수 있지 않은가? 본토에서 날아온 고위 관리. 비행장의 의장대. 핸셀의 퀀셋식 막사 안에서의 위스키, 시가, 잡담. 그러곤 노스태드가 느닷없이 핸셀에게 돌아서서 말했다. "자네는 이만 손을 떼게. 자네 자리에 커티스 르메이를 앉힐 생각이야."

"하늘이 무너지는 것 같았죠. 저는 완전히 짓밟혔습니다." 훗날 핸셀은 그 순간의 기분을 이렇게 표현했다. 핸셀에게는 일을 정리할 열흘의 시간이 주어졌다. 그는 멍한 상태로 주위를 서성였다.•

괌에서의 마지막 날, 핸셀은 술에 취해 부하들을 위해서 노래를 불렀다. "늙은 파일럿은 죽지 않는다. 결코 죽지 않는다. 그저~ 사라질 뿐이~다."

커티스 르메이가 직접 B-29 폭격기를 몰고 섬에 도착했다. 두 사람은 사진을 찍기 위해 포즈를 취했다. 르메이가 말했다.

"나는 어디에 서면 되겠나?"

카메라가 그들의 모습을 담았다.

이후 핸셀은 본토로 돌아가 애리조나에서 훈련 학교를 운영했다. 그의 전쟁은 끝났다.

역사학자 스티븐 맥팔런드는 내게 말했다.

"저는 핸셀의 인터뷰 기록을 많이 읽었습니다. 그의 편지도 몇 장 읽었죠. 그는 정말 사려 깊고 배려가 많은 사람이었습니다. 진정한 신자였습니다. 그러나 몇십만 명의 사람을 기꺼이 죽일 수 있는 부류의 사람이 아니었죠. 그는 그런 성정을 갖고 있지 않았습니다. 그의 영혼에는 그런 마음이 없었습니다."

● 핸셀의 마지막 임무는 1월 19일에 있었다. 엄청난 성공이었다. 62대의 B-29가 가와사키 공장을 파괴하는 임무였다. 역사가 윌리엄 랠프William Ralph는 이렇게 말한다. "단지團地 전체의 모든 주요 건물이 공격을 받았다. 생산량이 90퍼센트 감소했다. B-29는 단 한 대도 잃지 않았다. 핸셀은 다음 날 미국으로 돌아왔다."[6] 견디기 힘든 아이러니였다.

8장

"It's all ashes – all that and that and that."

D-데이:
제2차 세계대전의
가장 어두운 밤

"모조리 잿더미군. 여기도, 저기도, 전부"

구름 아래로

군 역사학자 콘래드 크레인은 커티스 르메이 소장 전문가이다. 나는 그에게 1945년 1월 헤이우드 핸셀에 이어 제21폭격사령부 책임자가 된 르메이의 마음가짐이 어땠는지 물었다.

크레인의 말을 빌려보자.

"마리아나제도에 처음 도착해 제21폭격기사령부를 인계받았을 때까지만 해도 그는 자신만의 궁극적인 전략을 마련해두지 않은 상태였습니다. 그의 마음은 그때도 여전히 열려 있었습니다."

핸셀이 융통성 없는 원칙주의자라면 르메이는 그와 정반대였다. '우선 중요한 일부터 한다.' 르메이는 마리아나제도에 있는 군의 인프라가 마음에 들지 않았다. 그것은 해군 건설대대 시비즈가 만든 것이었다. 르메이는 해군이 수년 전 폭격 훈련에서 그를 속였다고 생각했으며, 군의 그쪽 부분에 대한 경멸감은 전혀 옅어지지 않은 상태였다.

크레인은 이렇게 이야기한다.

기지를 둘러본 그는 원시적인 시설을 목도하곤 "이렇게는 안 되지"라고 말했습니다. 그는 역시 마리아나제도에 주둔하고 있던 해군 체스터 니미츠Chester Nimitz 장군으로부터 식사 초대를 받았습니다. 니미츠의 숙소로 간 르메이는 그가 거의 ⋯ 궁전에 가까운 화려한 곳에서 지내는 것을 보았죠. 식탁보가 깔린 식탁 위로 아쉬울 것이라곤 없이 차려 나오는 해군식 정식 저녁 식사에 기가 찼습니다. 그는 며칠 뒤 니미츠를 저녁 식사에 초대했습니다. 그 자리에 나타난 니미츠는 구멍까지 뚫린 퀸셋 막사에서 야전 식량을 먹어야 했죠. 식사가 끝난 후 니미츠가 르메이를 보며 말했습니다. "무슨 뜻인지 알겠네." 이후 그는 르메이에게 나머지 시설을 마무리할 건설 자재를 더 많이 보내주기 시작했지요.

르메이는 전임자의 전략을 그만의 버전으로 시도하기 시작했다. 도쿄의 나카지마 항공기 공장을 제거하기로 결심한 것이다. 그는 핸셀의 실패가 핸셀에 국한된 것이 아니라는 점을 스스로 납득해야 했다.

르메이는 나카지마에 대한 첫 작전을 1월에, 다음에는 2월에, 그리고 3월 초에 또 한 번 시도했다. 수백 대의 B-29가 일본으로 장거리 비행을 했으나 공장은 여전히 건재했다.

그는 핸셀이 마주했던 것과 동일한 장애에 부딪혔다. '아무것도 타격하지 못한다면 어떻게 공습으로 일본을 무릎 꿇게 할 수 있단 말인가?' 크레인은 이렇게 설명했다. "그가 바꿀 수 있는 것은 없었습니다. 그러자 그는 이렇게 생각했죠. '좋아 그렇다면 다른 걸 시도해봐야겠어.'"

르메이는 바람에서부터 시작했다. 제트기류는 막을 수 없는 힘이다. 없어지길 바랄 수 없다. 르메이는 그것이 모든 다른 일을 불가능하게 만든다는 걸 깨달았다. 정밀폭격의 원칙은 폭격기가 적의 사격과 대공포 사정거리를 훨씬 넘어서는 높은 고도에서 비행하는 조건하에 시작된다. 르메이는 이 원칙을 내던졌다. B-29가 제트기류 '아래로' 비행하도록 결정한 것이다.

다음으로 구름 문제가 있었다. 노든 폭격조준기는 폭격수가 표적을 볼 수 있어야만 효과가 있다. 하지만 일본은 영국만큼이나 구름이 많다. 1945년 2월 괌의 기상학자들은 르메이에게 3월 한 달 동안 육안 폭격이 가능할 정도로 하늘이 맑은 날은 7일도 되지 않을 것이라고 말했다. 4월과 5월에는 6일, 6월에는 4일이었다. 한 달에 6~7일만 폭격할 수 있다면 어떻게 일본에 지속적인 공격을 퍼부을 수 있겠는가?

르메이의 자서전에는 낯선 의식의 흐름이 나타난다. 그 부분에는 이렇게 적혀 있다.

바로 이 섬에서 우리는 얼마나 많은 좌절을 맛보았던가? 우리는 비행기를 불러들이고 폭탄, 가솔린, 보급품, 사람들을 모아두었다. 우리는 승무원을 갖췄다. 출격해서 임무를 수행할 모든 준비를 마쳤다. 그 후 우리는 어떻게 했나? 엉덩이를 붙이고 앉아 날씨가 좋아지기만을 기다리고 있다. … 그렇다면 나는 지금 뭘 해야 할까? '날씨의 영향을 받지 않게' 해야 한다. 준비가 되면 출격할 수 있게 해야 한다.[1]

"날씨의 영향을 받지 않게 해야 한다"는 것은 무슨 의미일까? 제트기류 아래로뿐 아니라 구름 아래로 비행한다는 얘기이다. 조종사들에게 B-29를 이용한 어떤 폭격 작전에서도 생각해보지 못한 높이(1.5~2.7킬로미터)로 날게 한다는 뜻이다.

크레인은 설명한다. "더 낮은 고도로 비행해야 한다는 것을 깨닫자, 그것은 전혀 새로운 일련의 결론으로 이어졌습니다."

논리는 이렇게 펼쳐졌다. 즉 정밀폭격은 주간 폭격이어야 하고, 폭격조준기를 맞추려면 먼저 표적을 봐야 한다. 그러나 주간에 폭격기가 저공비행을 한다면 일본 대공포의 손쉬운 먹이가 된다. 그래서 그는 결정을 내렸다. '어둠을 틈타야 한다.'

제트기류와 짙은 구름은 저공비행을, 저공비행은 야간비행을 뜻한다. 야간 공습으로 전환한다는 결정은 더 이상 정밀폭격을 할 수 없다는 얘기이다. 더 이상 노든 폭격조준기의 조작은 없다. 더 이상 폭탄 공격을 조정하기 위한 밀집대형 비행은 없다. 더 이상 표적이 어디에 있는지 정확히 파악하기 위한 고민은 없다.

이 공격을 위해 그가 사용할 무기는 무엇일까? 네이팜이다. 네이팜은 완벽한 효과를 발휘할 것이다.

슈바인푸르트에서 느낀 분노와 인도의 불가능한 조건에서 느낀 무력감은 이제 정점에 이르렀다. 결국 그는 괌의 퀀셋 막사에서 이렇게 말했다. "이제는 나만의 방식으로 해보겠어."

그는 첫 대규모 공격을 위한 계획을 세웠다. 폭격기 마피아가 항상 고집했듯이 정확한 표적을 쓰는 대신 "도쿄"라고만 적었다. 그는 승인을 얻기 위해 워싱턴의 상관 햅 아널드에게 계획서를 보내면서 서류가 아널드가 사무실에 없는 날 도착하도록 했다.

"아널드가 검토할 기회조차 제대로 갖기 전에 첫 공격을 시작할 수 있도록 말입니다." 크레인의 설명이다. "그는 자신이 위험을 무릅쓰고 있다는 걸 알고 있었습니다. B-29는 엄청나게 값비싼 자산입니다. … 야간에 저공비행을 하는 것입니다. 그는 대부분의 기관총 탄약과 사수를 기지에 남겨두었습니다."

르메이가 조종사에게 허용한 자기방어 수단은 후방 사수가 전부였다. 다른 모든 총은 제거했다. 불필요한 무게를 모두 덜어내고 가능한 한 많은 네이팜을 싣게 했다.

그 임무에 나선 항공병들은 처음 이 지시를 받았을 때를 잊지 못했다. B-29의 항공병이던 데이비드 브레이든은 그 브리핑을 이렇게 묘사했다.

듣고 있던 사람들은 헉하는 소리를 냈습니다. 고고도 비행 이외

어떤 선택의 재검토

에 다른 것을 한다는 생각조차 해본 적이 없었으니까요.

나가보니 비행기 바닥이 검은색으로 칠해져 있었습니다. 상황이 완전히 달라졌다는 걸 알았죠. … 대부분이 그걸 자살 작전으로 받아들였습니다. 막사에 들어가 가족들에게 작별의 편지를 쓰는 사람도 있었죠. 저고도 비행로飛行路 때문이었습니다.[2]

1.5킬로미터는 그냥 저고도가 아니었다. 1.5킬로미터는 들어본 적도 없는 이야기였다. 헤이우드 핸셀은 20년이 지난 후에도 르메이의 이 정신 나간 아이디어에 혀를 내둘렀다.

저도 그렇게 할 수 있지 않았냐는 질문을 받곤 합니다. 솔직히 말해 그 답은 '노'입니다. 저라면 4.5킬로미터 정도로 결정했을 겁니다. 대공포 방어가 어느 정도인지 실질적인 지식이 전혀 없는 상태에서 처음부터 1.5킬로미터나 3킬로미터의 저고도로 비행한다는 것은 대단히 위험하고 대단한 용기가 필요한 일입니다. 저는 그것이 르메이 장군의 개인적 결정이었을 것이라고 생각합니다.[3]

"대단히 위험하고 대단한 용기가 필요한 일." 핸셀의 말은 굳이 언외의 의미를 파악할 필요 없이 명확하다. 르메이가 조종사들에게 브리핑을 한 날, 브레이든은 거의 반란을 일으킬 뻔했다. 만약 그날 아침 항의를 했다면 르메이는 이렇게 말했을 것이다. "내게 다른 선택의 여지가 있나?" 훗날 그가 표현했듯이 "어느 날 일어나 보니 그곳에 온 지 벌써 두 달째였다. 그러나 나는 한 일이 별로 없었다. 뭔가를 해야 했다".

르메이는 정말로 거기 앉아서 구름이 걷히고, 제트기류가 사라지고, 폭격수들이 노든 폭격조준기의 명인이 될 때까지 기다려야 했을까? 전쟁이 끝나고 한참 후에 기록된 한 구술사에서 르메이가 헤이우드 핸셀의 불명예스러운 퇴장을 마음에 두고 있었다는 사실이 드러났다. 새로운 전략에 대한 질문에 그가 어떻게 답했는지 들어보자.

질문: 르메이 장군님, 저고도 방화 공격이라는 아이디어는 어디에서 비롯했나요?

르메이: 많은 아이디어가 오갔습니다. 대단히 많았죠. 그것은 기본적으로 제 결정이었습니다. 제가 만든 계획이었죠. … 야간 소이탄 폭격을 입에 올린 사람은 아무도 없었습니다. 하지만 우리는 결과를 내야 했습니다. 저는 결과를 만들어야 했고요. 제가 결과를 만들지 않거나, 잘못된 추측을 한다면 또 다른 사령관을 거기에 불러야 했겠죠. 이미 핸셀에게 일어난 일입니다. 그는 아무런 결과를 내지 못했어요. 결과가 필요했습니다.

사탄의 제안

커티스 르메이의 전설에 얽힌 거의 모든 이야기는 그의 냉혹함, 무자비함, 흔들리지 않는 차분함에 대한 것이다.

이 책 4장에서 나는 전쟁 초기 유럽의 폭격 임무를 마치고 돌아온 그의 말을 인용한 바 있다.

질문: 르메이 소령님, 오늘 비행은 어떠셨습니까?
르메이: 아주 좋았습니다. 이전 몇 번의 비행에 비해 다소 따분하긴 했지만요. 폭격기가 하나도 없고 대공포는 미약하고 매우 부정확했습니다.[4]

대공포의 사격을 받고 사방에서 독일 전투기의 공격을 받으며 적진을 몇 시간이나 비행하고 막 착륙한 상태였다. "이전 몇 번의 비행에 비해 다소 따분하긴 했지만요."

유럽에서 르메이는 조종사들이 표적을 폭격하기 위해 비행할 때 회피 기동을 해서는 안 된다고 주장했었다. 조종사는 모두가 두려움에 떨었다. 회피 기동을 하지 않으면 자신과 승무원들이 대공포에 격추될 것이라고 생각했다. 르메이는 이렇게 말했다. "출격을 직접 지휘하겠다." 그가 작전을 마친 후 어떻게 말했는지 기억해야 한다. "잘 풀렸습니다. 첫 번째 직선 폭격 항정에 나서면서 저나 저와 함께한 다른 대원들에게 불안이 없었던 것은 아닙니다. 하지만 효과가 있었습니다."**5**

르메이 휘하의 조종사 한 명이 두려운 심정을 고백하자 그는 이렇게 대답했다. "랠프, 자네는 죽을 수도 있어. 그러니 그것을 받아들이는 게 최선이지. 그걸 받아들이면 훨씬 나아질 걸세."**6** 우리가 알고 있는 르메이의 모습이다.

하지만 가끔, 또 다른 르메이의 모습이 보일 때가 있었다. 그는 "저나 저와 함께한 다른 대원들에게 불안이 없었던 것은 아니"라고 말했다. 이는 '겁을 먹었다'는 말이다. 하지만 그는 어느 누구든 그것을 감지하지 못하게끔 했다.● 두려움을 감지한 부하를 전장으로 이끌 수는 없다. 그 때문에 공포는 엄청나게 절제된 표현과 어깨를 으쓱이는 행동으로 바뀐다. 르메이는 가차 없이 부하들을 준비시켰고 훈련에 있어서는 양보가 없었다. 하지만 그가 그런 태도를 취한 데에는 이유가 있었다. 부하들에게 마음을 쓰고 있었기 때문이다. 괌에서 그의 휘하에 있던 클레어 매켈웨이Clair McKelway가 쓴 르메이의 프로필 중 한 줄이 이 점을 정말 잘 설명해주는 것 같다. 르메이가 그런 행동을 한 것은 그가 "훈련 부족이 젊은 승무원들에게 의미하는 바에 대해 혐오감"을 품고 있었기 때문이다.

● 르메이는 집으로 보내는 편지에서도 놀라울 만큼 감정을 드러내지 않았다. 도쿄 공습을 하고 이틀이 지난 3월 12일, 그는 그 작전을 그저 지나는 말로 언급했을 뿐이다. "며칠 전의 도쿄 공습은 성공적이었습니다. 집으로 아미 아워Army Hour 프로그램에 대해 알려주는 메시지를 보냈어요. 제시간에 도착하길 바랍니다. 이브닝 백이 마음에 들었다니 기쁘군요. 내가 당신 버릇을 나쁘게 만드는 것 같아요. 그런 백이 한 달 치 식료품비에 육박하던 것을 기억하거든요."**7**

르메이의 자서전에는 감정이 내비치도록 놓아둔 것 같은 순간이 딱 한 번 있다. 그가 비행기를 처음 본 순간을 묘사한 부분이다. 그는 아이였고, 오하이오주 콜럼버스의 가난한 동네에 있는 집 뒷마당에 서 있었다.

갑자기 머리 위로 공중을 나는 기계가 나타났다. 난데없이 등장했다. 나는 거기 있는 그것을 잡고 싶었다.
아이들은 이상과 아이디어, 원하는 트로피를 거머쥐기 위한 노력에서 엄청난 힘을 낸다. 아무도 나를 막지 않았고, 아무도 내게 다가와서 "넌 어린아이일 뿐이야. 비행기는 높은 공중에 있어. 네가 아무리 빨리 달려도 따라잡을 수 없지. 비행기를 잡을 만큼 높이 올라갈 수는 없어"라고 말하지 않았다. 나는 그저 비행기를 잡을 수 있고, 내 비행기를 가질 수 있고, 항상 내 곁에 둘 수 있을 거라고 생각했다. 그래서 나는 그것을 좇았다.[8]

그는 이웃집 뒷마당, 공터, 인도를 지나 달렸다. 하지만 물론 비행기를 잡을 수 없었다. "그리고 비행기는 사라졌다. 근사한 소리와 엄청난 힘, 나무와 금속으로 만들어져 허공을 가르던 그것, 그것에 대한 열렬한 환상." 그는 집으로 돌아왔다. 그리고 울음을 터뜨렸다.
르메이가 진실한 감정을 인정할 수 있었던 것은 어린 시절, 기계장치가 그의 애정의 대상이 된 시절의 이야기를 할 때뿐이었다.

헤이우드 핸셀이나 폭격기 마피아 다른 구성원들의 도덕적 비전은 이해하기 쉽다. 양심이 수긍하는 방식으로 전쟁을 벌일 수는 없을까? 이처럼 그들은 그럴듯한 도덕적 언어를 사용하기 때문이다. 하지만 르메이 같은 사람을 이해하기 위해서는 조금 더 노력이 필요하다.

르메이의 딸 제인 르메이 로지 Jane LeMay Lodge 는 1998년의 구술사에서 이에 대해 언급했다.

> 아버지가 제3차 세계대전이 시작되길 원한 강경파에 전쟁광이라고 말하는 몇몇 기사가 있었습니다. … 전쟁 동안 이루어진 인터뷰를 보면 저고도 폭격을 했을 때(아버지는 임무에 참여할 수 없었죠) 이야기가 나옵니다. 아버지가 활주로에 서서 비행기를 세 보며 몇 대가 이륙했는지 헤아렸다는 이야기예요.
> 아버지는 비행기를 헤아리고 마지막 비행기가 돌아올 때까지 기다렸어요. 감정이라곤 존재하지 않는 사디스트에 어디를 가든, 누구를 밟고 올라서든 개의치 않는 사람은 그런 종류의 일을 하지 않을 겁니다.[9]

그렇다면 르메이는 일본에 가하려고 마음먹은 화염 폭격을 어떻게 정당화했을까? 그는 전쟁을 가능한 한 빨리 끝내는 게 군 지휘관의 책임이라고 말했을 것이다. 고통을 야기하는 것은 전쟁의 기법이 아니라 전쟁의 '지속 기간'이라고 말이다. 자기 부하들의 목숨(그리고 적에게 주는 고통)을 생각한다면 전쟁을 가능한 한 가차 없고, 단호하고, 파괴적으로 만들어야 한다. 가차 없고 단호하고 파괴적인 것이 2년 동안 지속될 전쟁을 1년에 끝낸다면, 그게 가장 바람직한 결과 아닐까?

사탄은 예수가 제안을 받아들이면 눈에 보이는 모든 것에 지배권(적국인 로마를 무너뜨릴 기회)을 주겠노라며 그를 유혹했다. 한 신학자의 표현대로 "선을 이루기 위해 악을 행하라는 유혹, 종말의 위대함으로 수단의 불법성을 정당화하라는 유혹"이었다.[10] 헤이우드 핸셀은 그 질문에서 예수의 편에 섰다. 선을 이루기 위해 악을 행할 수는 없다는 것이다. 르메이라면 사탄의 제안을 두고 오랫동안 고민했을 것이다. 그리고 자신이 빠르고 보다 유리한 결말이라고 생각하는 것에 이른다면 불법적인 수단도 받아들였을 것이다.

수년이 흐른 뒤 그가 표현했듯이 "전쟁은 비열하고 끔찍한 일이다. 많은 사람을 죽여야 한다. 피할 방법은 없다. 나는 도덕적인 지휘관이라면 이를 가능한 한 최소화하기 위해 노력해야 한다고 생각한다. 그리고 내게 그것을 최소화할 최선의 방법은 전쟁을 가능한 한 빨리 끝내는 것이었다".[11]

새로운 작전을 계획할 때 그가 부하들에게 한 말도 바로 이런 것이었다.

"내 제안이 미친 소리로 들리겠지. 나도 잘 알고 있다. 하지만 이건 이 전쟁을 끝낼 수 있는 유일한 기회다. 우리에게 달리 선택지가 있나? 헤이우드 핸셀이 있던 시절로 돌아가고 싶은가? 활주로에 앉아서 날씨가 좋아지기만을 기다리던 때로? 그렇다면 몇 년이고 여기에 있어야 할 것이다."

독일의 나치는 거의 무릎을 꿇을 참이었다. 4년 동안 전쟁을 지원하느라 희생해온 고국의 국민들은 지쳐 있었다. 커티스 르메이는 더 낭비할 시간이 없다고 생각했다. 행동에 나서야 했다.

가장 긴 밤

그렇게 기획된 것이 미팅하우스 작전Operation Meetinghouse이다. 1945년 3월 9일 밤, 도쿄에 대한 커티스 르메이의 첫 대규모 공격이 시작되었다.

그날 오후 의무적인 기자회견이 있었다. 헤이우드 핸셀을 쫓아냈던 로리스 노스태드 장군이 워싱턴에서 다시 날아왔다. 그와 르메이는 종군기자들에게 브리핑을 하고 그들이 밝힐 수 있는 것과 밝힐 수 없는 것이 무엇인지 이야기했다. 다음으로 괌, 티니언, 사이판의 활주로에서 비행기들이 한 대씩 이륙하기 시작했다. 300대 넘는 B-29로 이루어진 엄청난 대부대였다. 그들은 가능한 한 많은 네이팜을 싣고 있었다. 르메이는 타맥tarmac으로 포장한 활주로에 서서 비행기의 수를 헤아렸다.

첫 폭격기가 도쿄에 다다른 것은 다음 날 아침이 되어서였다. 하루 동안은 기다리는 것 외에 할 수 있는 일이 없었다. 저녁이 되자 르메이는 상황실 벤치에 앉아 시가를 피워 물었다.

기지의 홍보 장교 클레어 매켈웨이는 새벽 2시 그곳에서 르메이를 발견했다. 르메이는 다른 사람들을 막사로 보내고 혼자 있었다. "내가 직접 지켜보고 있네." 르메이가 매켈웨이에게 말했다. "잘못될 수 있는 부분이 너무 많아. … 잠이 오질 않는군. … 보통은 잘 수 있는데, 오늘은 안 되겠어."

매켈웨이는 이후 〈뉴요커〉에 곰에서 르메이와 함께한 기억에 대해 긴 시리즈 기사를 기고했다.● 그 긴 기다림의 밤에 대한 그의 언급은 여기서 길게 인용할 만한 충분한 가치가 있다.

도쿄 1.5~1.8킬로미터 상공에 B-29를 보내기로 결정함으로써 르메이는 부하들이 무릅쓰게 될 위험을 키웠고, 부하들에 대해 개인적으로 큰 책임감을 느끼고 있었다. 그는 B-29 프로그램 전체의 성공에 위험을 무릅쓰고 있었다. B-29 프로그램은 작전 그 자체로는 물론이지만 감정적으로도 그에게 대단히 소중한 의미가 있었다. 그는 육군 장교로서뿐 아니라 한 인간으로서 미래까지 걸고 있었다. 그의 결정으로 비행기의 70퍼센트, 아니 50퍼센트, 아니 25퍼센트를 잃어도 그는 끝장이 날 것이다. 그와 같은

●　매켈웨이는 〈뉴요커〉의 일자리를 떠나 육군 중령으로 복무했다. 홍보 장교로서 그의 역할에는 군의 동료나 상관들에게 누가 될 만한 보도를 검열하는 것이 포함되었다. 〈뉴요커〉에 발표한 것들을 비롯해 전후戰後에 그가 낸 글은 믿을 수 없는 이야기이며 전쟁 범죄에 대한 눈가림이라는 거센 비난을 받았다.

사람이라면 모든 의미에서 끝장이 날 것이다. 자신에 대한 신뢰를 잃을 테니 말이다.

매켈웨이는 르메이 옆에 앉았다. "이번 공습이 내가 생각하는 대로 진행된다면, 우리는 이 전쟁을 단축시킬 수 있을 거야." 르메이는 매켈웨이에게 말했다. 그가 늘 하는 말이었다. 그러곤 시계를 봤다. 일본에서의 첫 보고까지는 아직 30분이 남아 있었다.

"코카콜라 좀 마시겠나?" 르메이가 말했다. "다른 사람을 깨우지 않고 내 막사에 살짝 들어가서 코카콜라 두 개를 꺼내다가 내 차에서 마실 수 있는데. 그럼 30분은 지나가겠지." … 우리는 어둠 속에 앉아 있었다. 본부를 둘러싼, 우리가 있는 공터 구석과 바다 사이에서 가장 짙어지는 정글을 마주하고.

두 사람은 전쟁에서 가장 긴 그 밤이 끝나기를 기다렸다.

D-데이

커티스 르메이의 B-29 부대가 목적지로 삼은 것은 스미다강隅田川이 가로지르는 도쿄 중심 30제곱킬로미터 지역이었다. 여기에는 산업 구역, 상업 구역, 그리고 대부분 노동자계급이 사는 수천 채의

집이 세계에서 가장 인구밀도가 높은 도심을 이루고 있었다.[●]

자정을 막 지나 도쿄에 이른 첫 슈퍼포트리스는 조명탄을 떨어뜨려 타깃 지역을 표시했다. 그리고 맹습을 시작했다. 수백 대의 비행기, 거대한 날개를 가진 기계 야수들이 도쿄 상공에서 포효했다. 비행고도가 대단히 낮았기 때문에 우르릉대는 엔진 소리가 도시 전체를 뒤흔들 정도였다. 도쿄의 방공 상태에 대한 미국의 걱정은 전혀 근거가 없었던 것으로 드러났다. 일본은 1.5킬로미터 상공에서 이루어지는 공격에 전혀 준비가 되어 있지 않았다.

B-29에서 폭탄이 무더기로 떨어졌다. 폭탄은 50센티미터 길이에 개당 무게가 2.7킬로그램인 작은 강철 파이프 형태로 안에는 네이팜이 들어 있었다. 이 작은 아기 폭탄의 한쪽 끝에는 긴 띠가 달려 있었다. 그날 밤 도쿄 하늘을 올려다봤다면 수천 개의 밝은 녹색 단검이 지상으로 떨어져 내리는 깜짝 놀랄 만큼 아름다운 순간을 마주했을 것이다.

그리고 '쾅!'

충격을 받으면 수천 개의 작은 폭발이 일어난다. 강한 가솔린 냄새가 퍼진다. 불타는 네이팜 방울이 사방으로 퍼진다. 이내 또 다른 폭격기들의 물결이 다가온다. 그리고 또. 전체 공격은 거의 3시

● 환경사학자 데이비드 페드먼David Fedman이 지적하듯 도쿄 공격에 사용된 군사 지도는 노동계급의 민간인이 밀집한 지역을 의도적으로 표적 삼았음을 보여준다. 왜? 가난한 사람들의 집은 불이 쉽게 붙었기 때문이다. "인구밀도가 높은 도심 구역이 방화 지역과 일치하는 것은 우연이 아닙니다. 전쟁을 계획하는 사람들은 불에 잘 타는 '종이와 합판' 구조물로 이루어져 있는 이 지역의 취약성을 이용하려 했습니다."¹²

간 동안 계속됐다. 1,665톤의 네이팜이 떨어졌다. 르메이의 전쟁 계획 장교들은 그렇게 인접한 곳에 떨어진 이 많은 소이탄이 화염 폭풍을, 자체적으로 바람을 일으키고 유지할 정도의 강력한 대화재를 초래할 것이라고 미리 계산했었다. 그들의 계산이 맞았다. 40제곱킬로미터 안의 모든 것이 불탔다.

건물은 불길이 닿기도 전에 화염에 휩싸였다. 엄마들은 아이를 업고 불을 피해 도망쳤으나 숨을 돌리는 순간 아이에게 불이 붙어 있는 것을 발견했다. 사람들은 스미다강의 운하로 뛰어들었지만 밀려드는 조수와 위에서 뛰어내리는 수백 명의 다른 사람들 때문에 익사하고 말았다. 철교에 매달린 사람들은 쇠가 너무 뜨거워지는 바람에 떨어져 죽음을 맞았다.

그날 밤 공격 지휘를 맡은 부사령관 토미 파워Tommy Power는 폭격기로 도쿄 상공을 선회했다. 역사학자 콘래드 크레인은 파워가 조종석에 앉아 자신이 본 것을 그림으로 남겼다고 말했다.

파워는 이렇게 언급했습니다. "공기가 소이탄으로 가득 차서 그 사이로 사람이 걸어 다닐 수 없을 지경이었다." 2시 37분, 눈에 보이는 화재 범위가 세로 40블록, 가로 15블록에 이르렀습니다. 연기가 7.6킬로미터 상공까지 올라갔죠.

그가 마지막 스케치를 마친 시간은 첫 그림을 그린 때로부터 약 1시간 후였습니다. 기본적으로 50~1,000개의 도시 블록이 동시에 불타고 있었습니다. 마지막 보고에는 240킬로미터 밖에서 화재의 불빛이 보였다는 내용이 담겨 있었죠.

전쟁이 끝난 후, 미국전략폭격조사는 이런 결론을 내렸다. "도쿄 화재로 6시간 동안 인류 역사의 그 어느 때보다 많은 사람이 목숨을 잃었다."[13] 그날 밤 10만 명이 죽었다. 그 작전에 참여했던 승무원들은 큰 충격에 빠진 채 돌아왔다.

항공병 데이비드 브레이든은 이렇게 회상했다. "솔직히, 불타고 있는 도시의 모습이 지옥 입구를 바라보는 듯했습니다. 상상도할 수 없는 큰불이었죠."[14]

콘래드 크레인은 다음과 같이 덧붙였다. "지상 1.5킬로미터 정도로 비행 고도가 낮았습니다. 살 타는 냄새가 비행기 안에 스며들 만큼 낮았죠. … 실제로 마리아나제도에 돌아와서 훈증 소독을해야 했습니다. 사람이 타는 냄새가 항공기 안에 남아 있었거든요."

다음 날 밤, 괌의 르메이는 자정이 되도록 깨어 있었다. 공격 도중 촬영한 항공사진이 준비되었다. 뉴스가 뿌려지자 사람들은 침대를 박차고 달려 나왔다. 지프를 타고 온 사람들이 방을 가득 채웠다. 아직 잠옷 차림인 르메이가 큰 탁자 위 밝은 불빛 아래 사진들을 내려놓았다. 충격으로 인한 침묵의 순간이 찾아왔다. 클레어 매켈웨이는 다른 사람들과 함께 그 방에 있었다. 그는 르메이가 완전히 유린당한 넓은 지역을 손짓으로 가리키던 것을 기억한다.

"여긴 끝났어." 르메이가 말했다.

"여기도 끝났고. 여기도, 여기도, 여기도."

로리스 노스태드 장군은 그 옆에 서서 이렇게 말했다.
"모조리 잿더미군. 여기도, 저기도, 전부."●

● 셀 수 없이 많은 사람이 목숨을 잃었음에도 불구하고 일본에는 3월 9일의 공격에 관한 정부 차원의 기념물이 없다. 스스로를 '기억 활동가'라고 부르는 그날 밤의 생존자들은 정치적·대중적 무관심에 맞서 도쿄 공습을 기억하기 위해 고투하고 있다. 마침내 그들은 스스로 자금을 조달해 도쿄공습·전쟁피해센터를 만들었다. 감독 에이드리언 프랜시스Adrian Francis는 발표 예정인 다큐멘터리 〈종이 도시 Paper City〉에서 1945년 도쿄 대공습의 생존자들을 인터뷰해 그들의 이야기와 그 사실을 잊지 않기 위해 애쓰는 그들의 노력을 기록했다.

어떤 선택의 재검토

재검토:
과연 옳은
선택이었을까?

원자폭탄이 없어도

1945년 도쿄 소이탄 폭격 이후, 커티스 르메이와 제21폭격기 사령부는 들짐승처럼 일본의 나머지 지역을 쳤다. 오사카, 구레, 고베, 니시노미야. 르메이는 오카야마의 68.9퍼센트, 도쿠시마의 60퍼센트, 도야마의 99퍼센트를 불태웠다. 반년에 걸쳐 67곳의 일본 도시가 불탔다. 전쟁의 혼란 속에서 얼마나 많은 일본인이 죽었는지 헤아리는 것은 불가능하다. 아마 50만 명가량, 어쩌면 100만 명일지도 모르겠다. 8월 6일, 특별 장비를 장착한 B-29 에놀라 게이가 마리아나제도에서 날아올라 히로시마로 향했다. 에놀라 게이는 세계 최초의 원자폭탄을 떨어뜨렸다. 하지만 르메이는 멈추지 않았다. 그의 회고록에서 핵 공격에 대한 내용은 두 페이지를 차지할 뿐이다. 그것은 다른 사람들의 쇼였다.

우리의 B-29들은 8월 8일 야와타로 가서 도시의 21퍼센트를 전소시켰고, 같은 날 다른 B-29들은 후쿠야마로 가서 그곳의 73.3퍼센트를 태워버렸다. 하지만 그들이 무릎을 꿇은 것은 8월 9일 두 번째 핵폭탄이 나가사키 상공에 떨어진 후였다. 우리는 계속 비행을 했다. 14일에는 구마가야로 갔고 도시의 45퍼센트가 불탔다. 같은 날 마지막 임무의 표적은 이세사키였고 도시의 17퍼센트가 불탔다. 이후 승무원들은 마리아나제도로 귀환해 일본이 항복했다는 소식을 들었다.[1]

르메이는 원자폭탄은 불필요했다고 항상 말했다. 진짜 작업은 이미 끝난 상태였다.

즉흥적인 파괴

르메이가 소이탄 폭격 작전에 대해 즐겨 하는 이야기가 있다. 은퇴 후 그가 쓴 회고록과 인터뷰에는 그 내용이 담겨 있다. 그 이야기를 여러 번 했지만 문장도 세부적인 사항의 순서도 전혀 바뀌지 않았다. 레퍼토리 중 하나인 것처럼. 거기에는 조지프 스틸웰Joseph Stilwell이라는 장성의 이야기도 포함되었다.

스틸웰은 중국·버마·인도 전역의 미국 작전 책임자였다. 르메이보다 한 세대 위인 그는 웨스트포인트를 졸업한 전형적인 육군으로, 별명이 식초 장군Vinegar Joe이었다. 빈틈이 없고 성미가 까다

로웠다. 책상 위에는 라틴어 명문을 흉내 낸 명판이 있었다. "나쁜 놈들이 당신을 좌절시키게 놓아두지 말라Illegitimi non carborundum." 르메이가 스틸웰을 만나고 싶어 한 것은 당연하다. 정중하게 인사를 드려야 하니까.

르메이는 그 이야기를 이렇게 전한다.

나는 그분을 만나기 위해 뉴델리로 갔다. 정글 어딘가에 계셨다. 정글까지 그분을 쫓아갈 형편은 아니었다. 나는 명함만 남겨두고 그의 참모장을 만난 후 집으로 왔다.

"정글까지 그분을 쫓아갈 형편은 아니었다." 약간 공격적인 것이 대단히 르메이다운 시작이다. 르메이는 재시도를 했고 결국 그로부터 얼마 후 중국 청두의 B-29 출동 대기 기지에서 스틸웰을 만났다. 르메이는 스틸웰에게 제20폭격기사령부가 하려는 일을 보여주고 싶었다.

나는 그분을 계속 모시고 다니며 일을 마치고 저녁을 먹었다. 그리고 밤새 그분에게 이야기를 해드렸다. 전략폭격이 어떤 것인지, 우리가 무슨 일을 하려 하는지, 어떻게 일을 하고 있는지 등을 모조리 설명하려고 애썼다. … 하지만 할 수가 없었다. 순조롭게 설명할 수가 없었다. 말 그대로 불가능했다.

어떤 말로도 그를 이해시킬 수 없었던 것이다.

두 뛰어난 장성이 중국 땅에서 저녁 식사를 하고 술을 마셨다. 르메이는 까마득한 선배에게 자신이 무슨 일을 하고 있는지, 무슨 일을 하고 싶은지, B-29라는 이 뛰어난 새 비행기로 무엇을 성취할 수 있다고 생각하는지 설명하려 했다. 그는 공군력을 지상 전력을 지원하는 일에만 사용해서는 안 된다는 것을, 다른 선택지가 있다는 것을 전달하려 노력했다. 공군력은 전선을 뛰어넘어 전선 뒤에서도 공격을 할 수 있다고. 제조 시설, 전력망, 원한다면 도시 전체를 제거할 수도 있다고.

그가 네이팜에 대해서도 언급했을까? 분명히 그랬을 것이다. 유타사막에서 일본 모형 건물들을 상대로 수행한 작업은 확실한 사실이다. 르메이는 이미 일본 폭격 비행에서 한 번 이상 네이팜을 사용해보았다. 따라서 거기에서 한발 더 나아가 이렇게 말했을 것이다. "아시다시피, 우리는 그 나라 전체를 태워버릴 수도 있습니다."

그러나 스틸웰, 제2차 세계대전에 참전한 똑똑하고 노련한 이 반백의 군인은 르메이가 무슨 이야기를 하는지 단서조차 잡지 못했다. 그게 무슨 소리지? 전쟁을 하늘에서 한다니?

1년이 지났다. 일본은 항복했고, 두 사람은 다시 만났다.

다음에 그분을 만난 것은 요코하마의 전함 미주리에서였다. 그분은 항복을 받기 위해 거기 계셨다. 우리가 요코하마(당시 450만 인구의 도시였다)로 갔을 때, 나는 그곳에서 일본인을 100명도 보지 못했다. 분명 주변에는 그보다 많은 일본인이 있었을 것이다. 하지만 그들은 눈에 띄지 않았다.

르메이는 도쿄를 공격하고 두 달 후인 1945년 5월 요코하마를 공격했었다. 450대 넘는 B-29가 2,570톤의 네이팜을 떨어뜨려 도시 절반을 잿더미로 만들고 수만 명의 목숨을 앗았다. 요코하마에서 항복을 받던 날 만나고 며칠이 지나 르메이와 스틸웰은 괌에서 재회했다. 르메이는 훗날 이렇게 회상했다.

스틸웰 장군이 나를 만나러 와서는 말했다. "르메이, 자네가 한 말이 무엇인지 겨우 이해하게 되었다는 말을 하러 들렀네. … 요코하마를 보기 전에는 무슨 말인지 이해가 안 되었거든."

왜 스틸웰은 중국에서 가진 첫 대화 때 르메이의 의도를 파악하지 못했을까? 스틸웰이 대담한 성정이 아니어서? 아니다. 그는 요코하마의 돌무더기 주변을 걸으면서 기뻐했다. 그는 자신의 일기에 이렇게 적었다.

오만하고, 넓적하고, 뻐드렁니의 못생긴 얼굴에 안짱다리를 한 개자식들이 어떤 꼴을 당했는지 보는 게 얼마나 통쾌하던지. 주위에는 막 해산 명령을 받은 군인들이 많이 있었다. 대부분의 경찰이 거수경례를 했다. 사람들은 대개 무관심했다. 우리는 파괴

된 지역을 만족스럽게 둘러보고 3시에 산뜻한 기분으로 들어왔다.[2]

스틸웰은 이런 사람이다. 하지만 르메이를 이해하기 위해서는 자기 눈으로 항공력이 요코하마에 한 일을 봐야 했다. 르메이가 중국에서 했던 이야기는 나이 든 장군의 상상력 밖에 있었기 때문이다. 그가 웨스트포인트에서 배운 것은 군인과 군인의 싸움, 군대와 군대가 맞붙는 전쟁이었다. 스틸웰 세대는 미 육군 장교가 '이런 일을 할 수도 있다'는 걸 바로 이해하기 어려웠다. 도시 전체를 날려버릴 수 있다니. 그것도 하나씩 차례로.

루스벨트 내각의 육군성 장관이던 헨리 스팀슨Henry Stimson도 같은 반응을 보였다. 스팀슨은 제2차 세계대전 초기 미국이 만든 뛰어난 전쟁 기계에 그 누구보다 많은 영향을 준 인물이다. 그는 정치가 중 정치가였고 명문가 출신이었으며, 군사 전략에 대한 모든 논의에서 빠지지 않는 전설과도 같은 사람이었다. 하지만 이상하게도 항공대가 하려는 일에 대해서만은 감을 잡지 못했다.

육군항공대 수장 햅 아널드 장군은 시치미를 떼고 스팀슨에게 르메이가 일본의 민간인 사상자를 최소화하기 위해 노력한다고 말한 적이 있었다. 스팀슨은 그의 말을 믿었다. 스팀슨은 5월 말 르메이가 두 번째로 도쿄에 소이탄 폭격을 하고 나서야 일본에서 일어난 일에 충격을 받았다는 입장을 밝혔다. 충격을 받았다고? 르메이가 처음 도쿄의 40제곱킬로미터를 불태우고 두 달하고도 보름이 지난 시점이었다.

역사가들은 스팀슨의 이런 무지를 이해해보려고 노력해왔다.● 군 역사가 로널드 셰이퍼Ronald Schaffer는 그의 책《심판의 날개Wings of Judgment》에서 이렇게 말하고 있다.

육군성 장관이 3월 10일의 도쿄 폭격에 대해 〈뉴욕타임스〉 독자들보다 모르는 것이 가능한 일일까? 그는 왜 일본 민간인에 대한 폭격 영향을 제한하겠다는 아널드의 말을 곧이곧대로 받아들였을까? 육군항공대가 적국의 민간인에게 벌이던 일에 귀를 닫고 싶다는 신호를 보낸 것은 아니었을까?[3]

나는 스팀슨의 무지에 대한 설명이 스틸웰의 무지에 대한 설명과 같지 않을까 생각한다. 르메이가 그해 여름 수행하던 일은 그의 상상력 밖에 있었을 것이라고 말이다.

일본과의 종전에 대해 이야기할 때 우리는 보통 1945년 8월 나가사키와 히로시마에 떨어진 원자폭탄을 언급한다. 일본에 대한

● 스팀슨이 남긴 말은 복잡하게 뒤얽혀 있다. 사적인 문서에서는 민간인이 목숨을 잃을 가능성에 대해 우려하면서 교토 같은 문화 중심지에 대한 파괴는 반대했다. 하지만 역사가들이 언급하듯이, 소이탄 폭격 작전을 둘러싼 스팀슨의 무지는 전혀 믿을 수 없는 일이라곤 할 수 없더라도 변명할 도리가 없는 일인 것만은 확실하다. 동부 전선에서 "히틀러의 파멸을 앞당기기 위한 무자비한 방책으로 독일 인구 밀집 지역에 의도적인 테러 폭격"[4]을 가한다는 미국 사령관들의 계획을 언급한 AP의 신랄한 보도 이후, 스팀슨은 이야기를 자기한테 유리한 쪽으로 돌리려고 노력했다. "우리의 정책은 민간인에 대한 테러 폭격이 결코 아니었다."[5]

핵무기 사용은 진지한 계획과 고려가 필요한 문제였다. 고위층에서 끝없이 논란과 고민이 이어졌다. '원자폭탄을 사용해야 할까? 그렇다면 어디에? 한 번? 두 번? 우리가 남긴 위험한 선례는 없는가?' 1945년 봄 루스벨트 사후 취임한 트루먼 대통령은 군사 전문가와 과학자들로 이루어진 합의체의 조언을 들으며 이미 한참 전부터 그 결정에 대해 고민하고 있었다. 트루먼은 그 결정 때문에 잠을 이루지 못했다. 그는 백악관 복도를 서성댔다.●

하지만 르메이의 소이탄 폭격 작전은 그런 숙고 없이 펼쳐졌다. 이 여름의 광란 막후에는 공식적인 계획도, 상관으로부터의 자세한 지시도 없었다. 워싱턴에서 전쟁을 계획하는 사람들이 소이탄 폭격 작전에 대해 생각한 범위는 일본 도시 67곳이 아닌 6곳을 타격하는 것이었다. 7월까지 르메이는 전략적 중요성을 띤 산업과 아무런 관련이 없고 불쏘시개나 다름없는 집에 사는 사람들만 있는 소규모 도시를 폭격했다. 역사가 윌리엄 랠프는 르메이의 여름 폭격 작전을 '즉흥적인 파괴 improvised destruction'라고 부른다.

그런 치명적인 작전이 … 야전 사령관으로부터 나왔다는 것은 대단히 충격적인 일이다. 이런 식의 작전을 세우는 걸 어떻게 허

● 1945년 7월 25일 자 일기에 트루먼은 이렇게 적었다. "우리는 세계 역사에서 가장 끔찍한 폭탄을 사용할 예정이다. 나는 육군성 장관 스팀슨으로부터 군사 목표물과 군인·수병들이 표적이며, 여성과 어린이는 표적으로 삼지 않을 것이란 이야기를 들었다. 일본인이 야만스럽고 잔인하고 무자비하고 광적이라 하더라도, 공공의 복리를 추구하는 세계 리더들은 구도시에든 신도시에든 그 끔찍한 폭탄을 떨어뜨릴 수 없다."⁶

용한단 말인가? 어떻게 그렇게 중대한 윤리적·정치적 결과를 초래하는 결정을 젊은 야전 사령관의 손에 맡긴단 말인가? 상부의 직접적인 책임과 적극적인 개입은 어디로 갔단 말인가?[7]

한참 위에 있는 스팀슨이나 스틸웰 같은 사람들은 르메이가 하려는 일에 대해 이해조차 하지 못했다. 아니, 이해하려 하지도 않았다. 그들은 르메이가 그해 여름 일본을 상대로 계획하고 실행한 파괴의 '규모'는커녕 그 대담성에 대해서도 고민해보지 않았다. 마리아나제도에 있던 한 사람이 네이팜에 매력을 느끼고, 기상 문제를 극복할 즉흥적 해법을 제시했다. 그리고 그 해법을 계속해서 실행했다.

풀 수 없는 문제

일본에 대한 지상 침공(일본군도 미국군도 두려워했던)은 일어나지 않았다. 1945년 8월, 일본은 항복을 선언했다. 바로 이것이 르메이가 도쿄로 첫 B-29 부대를 파견한 그 3월의 밤에 꿈꾸던 결과였다. 그는 클레어 매켈웨이와 자동차에 앉아서 이렇게 말했다.

"이번 공습이 내가 생각하는 대로 진행된다면, 우리는 이 전쟁을 단축시킬 수 있을 거야." 가능한 한 맹렬하고 잔인하게 싸운다면 전쟁을 단축할 수 있다!

어떤 선택의 재검토

역사가 콘래드 크레인은 내게 이렇게 말했다.

저는 일본에서 일본인 청중을 상대로 도쿄 소이탄 폭격에 대해 발표한 적이 있습니다. 발표 말미에 나이 든 일본인 역사가가 일어서서 이렇게 말했습니다. "결국 우리는 소이탄과 원자폭탄을 떨어뜨려준 당신들 미국인에게 감사해야 합니다."
저는 큰 충격을 받았죠. 그런 다음 그는 이렇게 설명했습니다. "어쨌든 우리는 항복했겠죠. 하지만 8월에 우리를 항복하게 만든 것은 엄청난 소이탄 폭격과 원자폭탄의 충격이었습니다."

다시 말해, 이 일본인 역사학자는 소이탄과 원자폭탄이 아니었다면 일본은 항복하지 않았을 테고, 항복하지 않았다면 소련이 침공하고, 다음으로 미국이 침공하고, 일본은 독일이나 한반도가 그랬던 것처럼 분할되었을 거라고 믿었던 것이다.
크레인은 덧붙였다.

또 하나 벌어졌을 수도 있는 일이 있었죠. 겨울에 수백만 명의 일본인이 굶어 죽는 것입니다. 8월에 항복함으로써 맥아더가 점령군을 상륙시키고, 실제로 일본인을 먹여 살릴 시간을 얻었으니까요. … 그것은 맥아더가 거둔 큰 성공 중 하나였습니다. 1945년 겨울에 엄청난 양의 식량을 가져다 기아를 막았습니다.

태평양 전역 연합군 최고 사령관 더글러스 맥아더 장군을 이야기하고 있는 것이다. 그는 일왕의 항복을 받은 사람이다.

커티스 르메이의 접근법은 모두(미국과 일본)에게 가능한 한 빨리 평화와 번영을 되찾게 해주었다. 1964년 일본 정부는 일본 공군의 재건을 도운 공로로 르메이에게 외국인에게 줄 수 있는 최고의 훈장인 '1등 아사히 대훈장'을 수여했다. 당시 일본 총리는 "지난일은 지난일이다"라고 말하며 의회 동료들의 반대를 묵살했다. "우리 항공 자위대에 대한 장군의 공헌을 훈장으로 치하하는 것은 당연한 일이다."**8**

은퇴한 헤이우드 핸셀은 신문에서 그러한 발표를 보고 왜 자신에게는 민간인 사상자를 최소화하며 싸운 공로로 훈장을 주지 않는지 궁금하게 여겼을 게 분명하다. 하지만 우리는 주어진 임무에 실패한 사람에게는 상을 주지 않는다. 그들의 의도가 아무리 고매하더라도 말이다. 전리품은 승자에게.

하지만 전쟁에서 이기고 훈장을 받은 것은 커티스 르메이인데, 왜 우리의 마음을 움직이는 것은 헤이우드 핸셀에 대한 기억일까? 망상에 젖어 풍차로 돌진하는 용맹한 기사 돈키호테를 좋아하는 로맨티스트이자 이상주의자에 대한 기억 말이다. 우리는 커티스 르메이를 흠모하고, 존경하고, 그의 선택을 이해하려고 노력한다. 그러나 마음이 가는 것은 핸셀이다. 왜일까? 그가 현대사회에서 도덕적이라는 것이 무엇을 의미하는지 보여주었기 때문은 아닐까? 우리는 새로운 도구와 기술 그리고 혁신이 매일같이 등장하는 시대를 살고 있다. 여기서 새로운 기술이 보다 높은 목적에 기여하도록 하는 유일한 방법은 열렬한 신자들이 그 기술이 그러한 목적을 위해 쓰여야 한다고 주장하며 그것을 위해 헌신하는 일이다. 폭격기 마피아가 노력을 기울인 것이 바로 그런 일이다. 그들의 세심한 계획은 유럽의 구름과 일본 상공에서 모로 불어오는 바람에 날아가버렸지만 말이다. 그들은 기술이 불가피하게 잘못된 길로 안내할 때에도, 꿈을 버리는 것이 승리를 향한 지름길일 때에도, 사탄이 신념을 포기하면 온 세상을 준다고 유혹할 때에도 뜻을 굽히지 않았다. 언젠가 꿈이 이루어진다고 믿으며 나아가는 이런 집요함이 없다면 원칙에는 아무런 의미가 없다. 도중에 꿈을 꺾는다면, 당신의 정체성은 어디에 있겠는가?

나는 육군대학원에서 강의하는 군 역사가 타미 비들에게 학생들한테 1945년의 봄과 여름에 대해 어떻게 이야기하느냐고 물었다.

제 할머니 세이디 데이비스Sadie Davis에겐 아들이 둘 있었습니다. 모두 제2차 세계대전에 참전했죠. 한 명은 태평양 전역에 오랫동안 있었고, 한 명은 유럽 전역에서 싸웠습니다. 유럽 전역에 있던 아들에게는 규슈에 상륙하기 전 전장을 떠날 뚜렷한 이유가 없었습니다.

규슈 상륙은 1945년 일본에 대해 계획하고 있던 침공 작전이었다. 많은 일본인은 말할 것도 없고 50만 이상의 미국 군인이 목숨을 잃을 것으로 예상되었다. 그녀는 말을 이었다.

> 미국이 해상 봉쇄, 일본 도시를 대상으로 한 공중전, 결국에는 핵
> 무기로 극도의 잔인함을 보이지 않았더라면 그는 그 상륙 작전
> 에 참여했을 것입니다.[•]
> 저는 할머니가 그 순간 잔인해질 준비가 되었었다고 확신합니
> 다. 아들들이 집으로 돌아오길 바라셨으니까요. 전쟁 중에는 많
> 은 사람이 그런 식의 감정을 느낍니다. 그러나 전쟁이 끝나면, 상
> 황을 전체적으로 보고 파악합니다. 무엇이 변화를 초래했는지
> 보고 목숨을 잃은 사람들, 파괴의 결과, 히로시마와 폭격당한 독
> 일 도시의 사진들도 보겠죠. 그리고 생각합니다. '세상에! 다른
> 방법은 없었어? 제정신이 아니었던 거지? 전쟁에서 이기기 위해
> 파우스트 같은 거래를 했다는 거잖아? 도덕을 대가로 승리를 얻
> 은 거야!'

커티스 르메이는 결실 없는 임무라고 여기는 일을 하다가 얼
마나 많은 부하들이 목숨을 잃었는지 상기하기 위해 폭탄 피해를
입은 슈바인푸르트와 레겐스부르크의 사진을 집 현관에 걸어두었

[•] 육군 장성 조지 마셜George C. Marshall은 전쟁이 길게 이어지면 사기가 떨어질 것이라고
생각했다. 그는 승리를 향한 가장 빠른 길은 일본에 대한 수륙 양면 침공이라고 주장
했다. 반면, 해군 원수 어니스트 킹Ernest J. King은 육상 침공에는 너무 많은 사상자가 나올
것이라고 생각했다. 결국 이 계획들은 실현되지 못했다. 일본은 해군 봉쇄를 연장하기
전, 몰락 작전Operation Downfall이라는 이름의 육상 침공을 시작하기 전에 항복했다.

다. 그가 가장 성공적인 임무로 여기는 일을 하다가 얼마나 많은 사람이 목숨을 잃었는지 매일 상기하기 위해 도쿄의 소이탄 폭격을 담은 공격 사진까지 걸어두었더라면, 나는 커티스 르메이를 훨씬 좋은 사람으로 생각했을 것이다.●

비들은 이렇게 말했다.

그건 그야말로 풀 수 없는 문제입니다. 저는 전쟁에 두 아들을 보내고 그런 일, 적한테 엄청나게 파괴적인 공격을 가해서 마침내 전쟁이 끝나고, 아들들이 집으로 돌아오는 것을 바랄 수밖에 없는 할머니 같은 상황에 처할 일이 없기를 바랍니다. 제 평생에 그

● 결국 역사는 1965년 은퇴 직전 발표한 커티스 르메이의 회고록에서 그가 남긴 발언으로 그를 기억할 것이다. 르메이는 북베트남에 대해 이런 말을 한 것으로 전해진다. "우리는 그곳을 폭격해서 석기시대로 되돌릴 것이다." 언론은 르메이가 1968년 인종분리주의자 조지 월러스George Wallace 대통령 후보와 함께 미국독립당의 부통령 후보로 출마했을 때 이 발언을 다루었다. 하지만 워런 코작Warren Kozak은 2009년 발표한 르메이의 전기에서 이 유명한 발언의 진실에 의문을 제기했다. 코작은 이렇게 적고 있다. "소설가 매킨리 캔터MacKinley Kantor의 도움을 받은 그의 자서전《르메이의 임무Mission with LeMay》 집필 과정에서, 르메이는 캔터에게 자신의 언급, 이야기, 아이디어를 전달하고 캔터는 그것을 글의 형태로 옮겼다. 책의 초고는 출간 전 승인을 받기 위해 르메이에게 전달되었다. 이 책은 르메이의 목소리를 잘 담고 있으며 완성도가 높다. 하지만 베트남과 관련한 545쪽의 인용문은 캔터가 만든 것이다. '문제에 대한 내 해법은 그들에게 더 주의를 기울이고 공격을 멈추라고, 그렇지 않으면 그들을 석기시대로 돌아갈 때까지 폭격할 것이라고 솔직하게 이야기하는 것이다. 그 뒤 우리는 지상군 없이 공군력이나 해군력을 동원해 그들을 석기시대로 되돌려 보낼 것이다.' 오늘날까지도 르메이의 이름을 거론할 때면 대부분의 사람은 이 말을 기억하고 '베트남을 석기시대로 돌아갈 때까지 폭격하겠다던 사람 아닌가요?' 하고 묻는다. 한참 후, 르메이는 친구들에게 이런 이야기를 한 적이 없다며 '원고를 검토하는 게 너무 지루해서 그냥 지나쳐버렸어'라고 말했다. 자신의 이름을 내건 책이기에 그에게도 책임이 있다. 또한 그러한 언급이 그에게 고착된 것은 그가 했을 법한 말이었기 때문일 가능성이 크다."[9]

런 일을 절대 마주하지 않길 바랍니다. 그래서 저는 그런 식으로 느끼는 사람들을 감히 판단할 수 없습니다.

10장

"All of a sudden, the Air House would be gone. Proof."

다시
핸셀 vs. 르메이:
양심과 의지

"에어하우스가 순식간에 사라지는 것이다. 쾅!"

《어떤 선택의 재검토》를 쓰고 있던 어느 날, 나는 포트마이어의 에어하우스에서 저녁 시간을 보내게 됐다. 포토맥강을 사이에 두고 워싱턴 D.C.를 바라보는 곳이었다. 에어하우스는 공군 참모총장의 관저이다. 나는 이 책을 시작하면서 이날 밤의 일을 언급했다. 당시 공군 참모총장 데이비드 골드페인이 동료 공군 장성들과 함께 이야기나 나누자며 나를 초대해주었다.

에어하우스는 우아한 빅토리아풍 주택이 들어선 도로에 면해 있었다. 합참의장도 그 거리에 살고 있다. 우리와 자리를 함께했던 합참부의장은 옆집에 살고 있다. 길 건너편에는 라이트형제가 육군 고위 인사들에게 처음으로 비행 시범을 보여준 들판이 있다. 집 내부의 식당 벽에는 1947년 독립한 이래 공군 최고위직에 있던 모든 사람의 사진이 순서대로 걸려 있다. 나는 오랫동안 그 사진들 앞에 서서 내가 책에서 읽고 사람들에게서 들어본 이들의 이름과 얼굴

을 바라봤다. 맨 윗줄 왼쪽 다섯 번째에 카메라를 노려보는 커티스 르메이가 있었다.●

　더운 여름날 밤이었다. 우리 다섯 명은 덱 체어에 앉아 있었다. 인근 레이건 국립공항에서 날아오른 비행기들이 머리 위에서 웅웅거리는 소리를 냈다. 커다란 에어컨이 소음을 내면서 돌아갔다. 모기들이 행복하게 앵앵대고 있었다. 장군들은 그들이 싸웠던 전쟁에 대해 이야기했다. 코소보, 사막의 폭풍, 아프가니스탄, 일부는 베트남전쟁에 참전한 아버지, 제2차 세계대전에 참전한 할아버지를 두고 있었다. 덕분에 그들은 상황이 어떠했는지, 또 상황이 어떻게 바뀌었는지에 대한 느낌이 있었다. 직접적인 느낌 말이다.

　한 장군이 아프가니스탄 서부에 있을 때 이야기를 했다. 한 무리의 부대원으로부터 호출이 왔다. 그들은 공격을 받고 있었다.

　지상에 있는 한 명이 무선으로 나와 이야기를 하고 있었는데, 50구경 기관총 소리를 사방에서 들을 수 있었죠. 그는 이렇게 소리쳤습니다. "삼면에서 포위를 당했다. 매우 강력한 포격을 받고 있다. 우리 중에는 부상자가 있다. 제압당할 것 같다."

● 　르메이는 1948년 전략공군사령부SAC 사령관이 되었다. 역사가 리처드 콘은 이렇게 언급한다. "르메이 장군 휘하에 있는 동안(1948~1957) SAC는 한참 형성기에 있었다. 그는 SAC가 모습을 갖추는 데 다른 어떤 사람보다 많은 영향을 주었다." 이어 1961년 르메이는 더 높은 자리로 올라갔다. 케네디 대통령이 그를 공군 참모총장에 임명한 것이다.

지상 병력에는 공중 엄호가 필요했다. 하지만 폭탄이 10미터만 빗겨가도 미군을 타격할 상황이었다. 그는 이야기를 계속했다.

"그들로부터 반경 20미터 이내에 세 개의 폭탄이 떨어져 세 개의 다른 건물을 파괴했습니다. 그는 팀과 함께 살아남았습니다. 정밀 유도 폭탄은 그만큼 정확할 수 있죠."

골드페인은 에어하우스 건너편에 길게 늘어선 집들을 가리켰다. 그는 베트남에서 F-4 전투기를 조종했던 아버지가 그 거리를 향해 여섯 개의 폭탄을 떨어뜨렸다면 분명 그중 한두 개 이상은 에어하우스를 타격했을 것이라며 이렇게 덧붙였다. "하지만 사막의 폭풍에 참여한 그의 아들은 89퍼센트의 적중률로 에어하우스를 타격할 수 있지요."

미국이 쿠웨이트를 침공하고 불과 몇 년 후, 골드페인 장군은 비행중대를 이끌고 코소보로 향했다. 그 시점에는 에어하우스뿐 아니라 에어하우스의 특정한 부속 건물을 맞출 자신감이 있었다고 그는 말했다.

그리고 그때부터 지금까지 또 시간이 흘렀죠. 지금의 젊은 조종사들이라면 건물 지붕에 있는 장식용 첨탑의 *끄트머리*를 맞출 수 있을 겁니다. 거길 맞추지 못하면 빗나간 것입니다. 그 정도로 정밀하죠. 제가 이런 예를 든 것은 … 표적이 그곳에 있는 사람이기 때문입니다. 그 아래층들은 파괴하고 싶지 않은 거죠. 우리의 마음은 항상 그렇습니다. 우리는 그 정도의 정밀도를 달성해냈습니다.

그날 저녁 어떤 장군도 이 정밀폭격 혁명이 전쟁을 완벽하게 만들었다거나 전쟁의 문제를 해결했다고 말하지 않았다. 거기에는 그것만의 문제점이 있다. 표적이 어떤 곳에 있는 한 사람이라면, 그가 표적으로 삼고자 하는 사람인지 확실하게 말할 수 있는 정보가 필요하다. 그곳에 있는 사람을 맞출 방법이 있다면, 공격을 결정하는 게 훨씬 더 쉬워진다. 그렇지 않은가? 그들은 모두가 그 사실에 대해 염려했다. 폭격기가 정밀해질수록 그 폭격기를 이용하고 싶은 유혹은 커진다. 꼭 필요하지 않은 때에도.

이것도 생각해보자. 1945년 골드페인이 가리켰던 집을 파괴하고자 누군가가 네이팜 수천 톤을 실은 폭격기 부대를 이끌고 와서 주변 몇 킬로미터, 강 건너 워싱턴 D.C., 기지 맞은편 버지니아주 알링턴의 모든 것을 태워버린다면?

양심과 의지를 적용해야만 해결할 수 있는 일련의 도덕적 문제가 있다. 그것들은 대단히 어려운 종류의 문제이다. 반면 인간의 독창성을 적용해서 해결할 수 있는 문제들도 있다. 폭격기 마피아의 천재성은 그 차이를 이해한 것이다. "군사적 목적을 위해 무고한 사람들을 학살하고 알아볼 수 없을 정도로 불태워서는 안 된다. 우리는 그보다 나은 일을 할 수 있다."● 그들이 옳았다.

장군들은 B-2 스텔스 폭격기에 대해 이야기하기 시작했다. 지금의 공군에서 커티스 르메이의 B-29와 같은 위치에 있는 폭격기이다. B-2는 매우 뛰어난 능력을 갖추고 있다. 레이더에 잡히지 않는 것이다.

한 장군이 말했다. "요점은 우리가 지금 앉아 있는 포트마이어에서 원하는 80개의 표적을 정할 수 있고, 폭격기는 12킬로미터 상공에서 레이더에조차 잡히지 않는 상태로 움직일 수 있다는 것입니다." 나는 폭격기가 접근하는 소리를 들을 수 있지 않느냐고 물었다. 대답은 이랬다. "아뇨, 너무 높이 날아서 들리지 않습니다."

이렇게 뒷마당의 간이 의자에 앉아 하늘을 올려다보고 있는 와중에 에어하우스가, 혹은 에어하우스의 특정 부분이 순식간에 사라지는 것이다. 쾅!

고고도 정밀폭격이란 그런 것이다. 커티스 르메이는 전투에서 이겼다. 헤이우드 핸셀은 전쟁에서 이겼다.

●   2009년 1월 21일 취임 다음 날, 오바마 대통령은 소이무기incendiary weapon[목표물을 불살라 없애는 무기. 소이탄, 화염방사기 따위]의 사용을 금지하는 UN 의정서에 서명했다. 1981년 처음 도입된 이 군축 협정에 서명한 국가는 이 글을 쓰고 있는 현재 115개국이다.

감사의 말

《어떤 선택의 재검토》의 탄생은 남달랐습니다. 오디오 북으로 일생을 시작했고, 그 뒤에 인쇄물로 옮겨졌기 때문입니다. 대부분의 책은 그 반대의 궤적을 따릅니다. 그래서 제 감사 인사는 가장 먼저 독창적인 형태로 이 책을 만들 수 있게 도와준 푸시킨 인더스트리스Pushkin Industries 팀에 전해야 할 것입니다. 푸시킨 오디오북스Pushkin Audiobooks를 감독하는 프랜시스 뉴넘Francis Newnam과 재스민 파우스티노Jasmine Faustino, 편집자 줄리아 바턴Julia Barton, 프로듀서 제이컵 스미스와 엘로이즈 린턴Eloise Lynton, 사실 확인을 담당하는 에이미 게인즈Amy Gaines, 작곡가 루이스 게라Luis Guerra, 사운드 엔지니어 플론 윌리엄스Flawn Williams와 마르틴 곤살레스Martín H. Gonzalez께 감사드립니다. 이전에 리서치를 도와준 그리고 현재 리서치를 돕고 있는 카미유 밥티스타Camille Baptista, 스테퍼니 대니얼Stephanie Daniel, 베스 존슨Beth Johnson, 시오마라 마르티네즈-화이트Xiomara Martinez-White께 감사드립니다. 헤더 페인Heather Fain, 칼리 밀리오리Carly Migliori, 미아 로벨Mia Lobel도 빼놓을 수 없습니다.

리틀, 브라운Little, Brown의 관계자들은 제가 처음 글을 쓰기 시작할 때부터 출판을 맡아주셨고 푸시킨 오디오북스 팀의 작업을 인계받아주셨습니다. 《어떤 선택의 재검토》를 종이책과 전자책으로 출간하는 데 도움을 주신 리틀, 브라운의 다음 분들께 감사를 전합니다. 브루스 니컬스Bruce Nichols, 테리 애덤스Terry Adams, 매시 바너Massey Barner, 팸 브라운Pam Brown, 주디 클레인Judy Clain, 바버라 클라크Barbara Clark, 숀 포드Sean Ford, 엘리자베스 개리가Elizabeth Garriga, 에번 한센-번디Evan Hansen-Bundy, 팻 잘버트-레바인Pat Jalbert-Levine, 그레그 큘릭Gregg Kulick, 미야 쿠망가이Miya Kumangai, 로라 매멀록Laura Mamelok, 아샤 머크닉Asya Muchnick, 마리오 펄리스Mario Pulice, 메리 톤도르프-딕Mary Tondorf-Dick, 크레이그 영Craig Young.

마지막으로 공군 21대와 22대 참모총장 데이비드 골드페인 장군과 찰스 브라운Charles Q. Brown Jr. 장군은 제가 공군 기록 보관소를 방문하고 항공대학 역사가들을 만날 수 있도록 허락하고 제 길잡이가 되어주셨습니다. 두 분의 너그러움에 감사드립니다.

이 책을 쓰는 도중에 골드페인 장군은 은퇴하고 그 자리를 브라운 장군이 맡았습니다. 저는 그 기념식을 온라인으로 지켜봤습니다. 국방장관부터 합참의장에 이르기까지 모두가 한 사람씩 연설을 했습니다. 미국의 최근 역사에서 가장 소란스럽고 불안정한 여름에 치러진 그 예식은 우아함과 예의, 진지함의 전형이었습니다. 폭격기 마피아는 진정으로 위대한 미국의 한 기관을 세우는 데 보탬이 되었습니다. 그들의 영향력은 끝나지 않았습니다.

주 _____

참고 자료의 인용은 다음 작가들의 인터뷰를 바탕으로 했다.

타미 데이비스 비들 Tami Davis Biddle
존 루이스 John M. Lewis
콘래드 크레인 Conrad Crane
스티븐 맥팔런드 Stephen L. McFarland
데이비드 골드페인 David Goldfein
리처드 멀러 Richard Muller
로버트 허시버그 Robert Hershberg
로버트 니어 Robert Neer
켄 이스라엘 Ken Israel
로버트 페이프 Robert Pape
리처드 콘 Richard Kohn

어떤 선택의 재검토

0장 <mark>핸셀 vs. 르메이: 같은 목표, 정반대 사람</mark>

1, 2　William Keighley, dir., *Target Tokyo* (Culver City, CA: Army Air Forces First Motion PictureUnit, 1945) (https://www.pbs.org/wgbh/americanexperience/features/pacific-target-tokyo/)

3　Sir Arthur Harris, *Bomber Offensive* (London: Collins, 1947; Barnsley, UK: Pen & Sword, 2005), 72~73. 인용은 Pen & Sword판을 참조했다.

4, 5　Charles Griffith, *The Quest: Haywood Hansell and American Strategic Bombing in World War II* (Montgomery, AL: Air University Press, 1999), 189, 196.

6, 7　St. Clair McKelway, "A Reporter with the B-29s: III—The Cigar, the Three Wings, and the Low-Level Attacks," *The New Yorker*, June 23, 1945, 36.

1장 <mark>노든의 완벽주의: 폭격조준기는 어떻게 탄생했을까?</mark>

1　Albert L. Pardini, *The Legendary Norden Bombsight* (Atglen, PA: Schiffer Publishing, 1999), 51.

2　Stephen L. McFarland, *America's Pursuit of Precision Bombing, 1910–1945* (Washington, DC: Smithsonian Institution Press, 1995), 52.

3　Robert Jackson, *Britain's Greatest Aircraft* (Barnsley, UK: Pen & Sword, 2007), 2.

4　Donald Wilson, interview by Hugh Ahmann, the United States Air Force Oral History Program, Carmel, CA, December 1975, Donald Wilson Papers, George C. Marshall Foundation, Lexington, VA.

5, 6 Donald Wilson, *Wooing Peponi: My Odyssey Through Many Years* (Monterey, CA: Angel Press, 1973), 237.

7, 8 *Principles of Operation of the Norden Bombsight*, US Army Air Forces training movie 23251, (https://www.youtube.com/watch?app=desktop&feature=share&v=143vi97a4tY)

9 *Bombs Away*, yearbook of the bombardier training school, class of 1944‒46, Victorville Army Air Field, Victorville, CA, 16. (http://www.militarymuseum.org/Victorville%20AAF%2044‒6.pdf)

2장 폭격기 마피아: 기술의 진보가 신념을 만날 때

1970년대 여성운동에 대한 정보는 다음을 참고. Jill Lepore, *These Truths: A History of the United States* (New York: W. W. Norton, 2018), 652.

1, 2 존 퍼싱 장군이 찰스 메노어Charles T. Menoher 장군에게, January 12, 1920, *Report of the Director of Air Service to the Secretary of War* (Washington, DC: Government Printing Office, 1920), 11에서 인용.

3, 4 Harold George, interview for the United States Air Force Oral History Program, October 23, 1970, Clark Special Collections Branch, McDermott Library, United States Air Force Academy, Colorado Springs, CO.

5, 9 Donald Wilson, interview by Hugh Ahmann, the United States Air Force Oral History Program, December 1975, Donald Wilson Papers, George C. Marshall Foundation, Lexington, VA.

6 Carl H. Builder, *The Masks of War: American Military Styles in Strategy and Analysis* (Baltimore, MD: Johns Hopkins University Press, 1989), 34.

7, 8 Walter Netsch, interview by Betty J. Blum, the Chicago Architects Oral History Project, May~June 1995, Ernest R. Graham Study Center for Architectural Drawings, Art Institute of Chicago, 140 (https://digital-libraries.artic.edu/digital/collection/caohp/id/18929)

10 Phil Haun, ed., *Lectures of the Air Corps Tactical School and American Strategic Bombing in World War II* (Lexington, KY: University Press of Kentucky, 2019), Google Books.

3장 사이코패스: 유대감이 결여된 사람들

이번 장의 아이라 에이커에 대한 인용은 다른 언급이 없는 한 1964년 기록된 Ira Eaker, Curtis LeMay, James Hodges, James Doolittle, Barney Giles, and Edward Timberlake의 인터뷰에서 발췌한 것이다. 애리조나주 몽고메리 공군역사연구소 http://airforcehistoryindex.org/data/001/019/301.xml.

1 Humphrey Jennings, Harry Watt, dirs., *London Can Take It!* (London: GPO Film Unit, Ministry of Information, 1940) (https://www.youtube.com/watch?v=bLgfSDtHFt8)

2 Elsie Elizabeth Foreman 구술사, December 1999, Imperial War Museums, London (https://www.iwm.org.uk/collections/item/object/80018439)

3 Sylvia Joan Clark 구술사, June 2000, Imperial War Museums, London (https://www.iwm.org.uk/collections/item/object/80019086)

4 James Parton, *Air Force Spoken Here: General Ira Eaker and the Command of the Air* (Montgomery, AL: Air University Press, 2000), 152~153.

프레더릭 린더만과 처칠의 우정에 대한 자료, C. P. 스노의 강의는 팟캐스트 〈수정주의자의 역사〉의 2017년 에피소드, "The Prime Minister and the Prof"(http://revisionisthistory.com/episodes/15-the-prime-minister-and-the-prof)에 등장한다. 스노에 대한 인용은 "Science and Government" (Godkin Lecture Series at Harvard University, November 30, 1960), WGBH Archives를 기반으로 했다. 처칠과 그의 알코올 소비에 대한 정보는 David Lough, *No More Champagne: Churchill and His Money* (New York: Picador, 2015), 240을 참조하라.

분산 기억의 개념에 대한 보다 많은 정보는 Daniel M. Wegner, Ralph Erber, Paula Raymond, "Transactive Memory in Close Relationships", *Journal of Personality and Social Psychology* 61, no. 6 (1991): 923–29 (http://citeseerx.ist.psu.edu/viewdoc/download?doi=10.1.1.466.8153&rep=rep1&type=pdf.)를 참조하라.

5 Frederick Winston Furneaux Smith, Earl of Birkenhead, *The Prof in Two Worlds: The Official Life of Professor F. A. Lindemann, Viscount Cherwell* (London: Collins, 1961), 116.

6, 7 Roy Harrod, *The Prof: A Personal Memoir of Lord Cherwell* (London: Macmillan, 1959), 72, 73.

8 *Defence: World War II; Air Marshal Harris on Bombing Raids*, Reuters, British Paramount newsreel, 1942 (https://youtu.be/fdoUZtCbsW8?t=32)

쾰른 폭격의 영향에 대한 정보는 Max G. Tretheway, "1,046 Bombers but Cologne Lived", *New York Times*, June 2, 1992 (https://www.nytimes.com/1992/06/02/opinion/IHT-1046-bombers-but-cologne-lived.html.)를 기반으로 했다.

9 Henry Probert, *Bomber Harris: His Life and Times; The Biography of Marshal of the Royal Air Force Sir Arthur Harris, Wartime Chief of Bomber Command* (London: Greenhill Books, 2001), 154–55.

10, 11 Arthur Harris, interview by Mark Andrews, British Forces

Broadcasting Service, 1977, Imperial War Museums, London (https://www.iwm.org.uk/collections/item/object/80000925)

4장 돈키호테: 유혹에도 흔들리지 않는 사람

1   Charles Griffith, *The Quest: Haywood Hansell and American Strategic Bombing in World War II* (Montgomery, AL: Air University Press, 1999), 34. 부하들 앞에서 〈공중 그네를 타는 남자〉를 불러주는 핸셀은 120쪽, 핸셀과 아내의 만남 그리고 아내에 대한 구애 이야기는 32~33쪽에 있다.

2   Ralph H. Nutter, *With the Possum and the Eagle: The Memoir of a Navigator's War Over Germany and Japan* (Denton, TX: University of North Texas Press, 2005), 216.

3   Miguel de Cervantes, *The Ingenious Gentleman Don Quixote of La Mancha, Volume 1*, trans. John Ormsby (London: Smith, Elder & Co., 1885), (https://www.gutenberg.org/files/5921/5921-h/5921-h.htm)

4, 5   Haywood Hansell 강연, the United States Air Force Academy, April 19, 1967, Clark Special Collections Branch, McDermott Library, United States Air Force Academy, Colorado Springs, CO.

1943년 커티스 르메이와의 인터뷰 인용은 *First U.S. Raid on Germany*, Reuters, British **Pathé** newsreel, 1943 (https://www.youtube.com/watch?v=YgO6DX_9zOI)을 기반으로 했다.

6   Russell E. Dougherty, interview by Alfred F. Hurley, Arlington, VA, May 24, 2004, University of North Texas Library, Denton, TX. (https://digital.library.unt.edu/ark:/67531/metadc306813/.)

7, 8, 9, 10, 11, 13   1965년 커티스 르메이의 구술사 인터뷰를 바탕으로 인용했

다. Air Force Historical Research Agency, Montgomery, AL, (http://airforcehistoryindex.org/data/001/000/342.xml)

12 Errol Morris, dir., *The Fog of War: Eleven Lessons from the Life of Robert S. McNamara* (New York: Sony Pictures Classics, 2003).

14, 15, 16 커티스 르메이의 회고를 바탕으로 인용했다. Oral History, 1971 (Air Force Academy Project, Columbia Center for Oral History, Columbia University Libraries, New York, NY)

17 Curtis E. LeMay with MacKinlay Kantor, *Mission with LeMay: My Story* (New York: Doubleday, 1965), 150.

18, 19 The Air Force Story: Chapter XIV—Schweinfurt and Regensburg, August 1943, the Department of the Air Force, 1953. (https://www.youtube.com/watch?v=dB8C-CagZeU)

5장 모든 것을 불태우기: 납득할 수 없는 일을 수행해야 할까?

슈바인푸르트-레겐스부르크 공습에 대한 더 자세한 내용은 Thomas M. Coffey, *Decision Over Schweinfurt: The U.S. 8th Air Force Battle for Daylight Bombing* (New York: David McKay, 1977)을 참조하라.

이번 장의 커티스 르메이에 대한 인용은 다른 언급이 없는 한 Curtis E. LeMay: Oral History, 1971 (Air Force Academy Project, Columbia Center for Oral History, Columbia University Libraries, New York, NY)을 근거로 했다.

1 Lieutenant Colonel Beirne Lay Jr., "I Saw Regensburg Destroyed", *Saturday Evening Post*, November 6, 1943.

2, 3 *The Air Force Story: Chapter XIV—Schweinfurt and Regensburg,*

August 1943, the Department of the Air Force, 1953. (https://www.youtube.com/watch?v=dB8C-CagZeU)

공습 이후 쿠겔피셔 볼베어링 공장의 상태에 대한 정보는 *Thomas M. Coffey, Decision Over Schweinfurt: The U.S. 8th Air Force Battle for Daylight Bombing* (New York: David McKay, 1977), 81을 근거로 했다.

4   *The United States Strategic Bombing Survey: Summary Report: European War*, September 30, 1945, 6. (https://www.google.com/books/edition/The_United_States_Strategic_Bombing_Surv/EfEdkyz_DOAC?hl=en&gbpv=1)

5   Henry King, dir., *Twelve O'Clock High* (Los Angeles: 20th Century Fox, 1949).

6   National WWII Museum, *George Roberts 306th Bomb Group* (https://www.youtube.com/watch?v=fRO1R7Op1ec)

7   Alan Harris, ed., "The 1943 Munster Bombing Raid in the Words of B-17 Pilot Keith E. Harris (1919-1980)", AlHarris.com (http://www.alharris.com/stories/munster.htm)

군법회의에 회부된 항법사의 일화는 Seth Paridon, "Mission to Munster", National WWII Museum, November 20, 2017 (https://www.nationalww2museum.org/war/articles/mission-munster); Ian Hawkins, *Munster: The Way It Was* (Robinson Typographics, 1984), 90을 기반으로 했다.

8   Ralph H. Nutter, *With the Possum and the Eagle: The Memoir of a Navigator's War Over Germany and Japan* (Denton, TX: University of North Texas Press, 2005), 137.

9, 10, 13   Leon Festinger, interview by Dr. Christopher Evans, the Brain

Science Briefing series, 1973. (https://soundcloud.com/user-262473248/a-sixty-minute-interview-with-leon-festinger)

11, 12 Leon Festinger, Henry W. Riecken, Stanley W. Schachter, *When Prophecy Fails: A Social and Psychological Study of a Modern Group That Predicted the Destruction of the World* (Minneapolis: University of Minnesota Press, 1956), 3, 162~163.

14 Charles Griffith, *The Quest: Haywood Hansell and American Strategic Bombing in World War II* (Montgomery, AL: Air University Press, 1999), 132.

15 Albert Speer, *Inside the Third Reich: Memoirs by Albert Speer* (New York: Simon and Schuster, 1997), 286.

6장 검토: 신념을 버리고 승리하다

1 Melvin S. Dalton, interview by Chris Simon, the Veterans History Project, American Folklife Center, Library of Congress, June 11, 2003 (https://memory.loc.gov/diglib/vhp/story/loc.natlib.afc2001001.33401/sr0001001.stream)

2 Vivian Slawinski, interview by Jerri Donohue, Veterans History Project, American Folklife Center, Library of Congress, n.d.(https://memory.loc.gov/diglib/vhp/story/loc.natlib.afc2001001.46299/sr0001001.stream)

3 커티스 르메이가 헬렌 르메이에게 보낸 편지, February 5, 1945, Benjamin Paul Hegi, *From Wright Field, Ohio, to Hokkaido, Japan: General Curtis E. LeMay's Letters to His Wife Helen, 1941–1945* (Denton, TX: University of North Texas Press, 2015), 319에서.

이번 장의 헤이우드 핸셀과 생도들에 대한 인용은 다른 언급이 없는 한 Haywood

Hansell, the United States Air Force Academy, April 19, 1967 강연에 기반한 것이다. Clark Special Collections Branch, McDermott Library, United States Air Force Academy, Colorado Springs, CO.

4　　Charles Griffith, *The Quest: Haywood Hansell and American Strategic Bombing in World War II* (Montgomery, AL: Air University Press, 1999), 175.

5　　Curtis LeMay, Bill Yenne, *Superfortress: The Boeing B-29 and American Air Power in World War II* (New York: McGraw-Hill, 1988), 72.

6, 7　　David Braden, interview by North Texas Library, Denton, TX(https://digital.library.unt.edu/ark:/67531/metadc306702/?q=david%20braden.)

8　　40th Bomb Group Association, "An Ersatz Tokyo Rose Intro", (http://40thbombgroup.org/sound2.html.)

9　　커티스 르메이의 회고: 구술사, 1971 (Air Force Academy Project, Columbia Center for Oral History, Columbia University Libraries, New York, NY).

샌 안토니오 원과 다른 폭격 임무에 대한 정보는 *The Army Air Forces in World War II*, ed. Wesley Frank Craven, James Lea Cate, vol. 5, *The Pacific: Matterhorn to Nagasaki, June 1944 to August 1945* (Washington, DC: Office of Air Force History, 1983), 557, available at https://media.defense.gov/2010/Nov/05/2001329890/-1/-1/0/AFD-101105-012.pdf), Harry A. Stewart, John E. Power, United States Army Air Forces, "The Long Haul: The Story of the 497th Bomber Group (VH)" (1947). World War Regimental Histories. 106. http://digicom.bpl.lib.me.us/ww_reg_his/106에서 찾을 수 있다.

10　　William Keighley, dir., *Target Tokyo* (Culver City, CA: Army Air Forces First Motion Picture Unit, 1945), (https://www.pbs.org/wgbh/americanexperience/features/pacific-target-tokyo/)

에드 하이어트 대위에 대한 인용은 Elaine Donnelly Pieper, John Groom, dirs., *The Jet Stream and Us* (Glasgow: BBC Scotland, 2008)를 기반으로 했다.

기상관측 풍선에 대한 정보는 "Weather Balloons", Birmingham, Alabama, Weather Forecast Office, National Weather Service (https://www.weather.gov/bmx/kidscorner_weatherballoons)를 기반으로 했다.

제트기류, 로스뷔파, 윌리 포스트에 대한 정보는 "The Carl-Gustaf Rossby Research Medal", American Meteorological Society(https://www.ametsoc.org/index.cfm/ams/about-ams/ams-awards-honors/awards/science-and-technology-medals/the-carl-gustaf-rossby-research-medal/); "Post, Wiley Hardeman", National Aviation Hall of Fame(https://www.nationalaviation.org/our-enshrinees/post-wiley-hardeman/);Tom Skilling, "Ask Tom Why: Who Coined the Term Jet Stream and When?", *Chicago Tribune*, September 23, 2011을 기반으로 했다.

11, 12 〈누가복음〉 4:1~2, 〈누가복음〉 4:5~7, English Standard Version.

7장 네이팜: 목적을 위해 가장 필요한 것은 무엇일까?

호이트 핫텔에 대한 인용은 Hoyt Hottel, interview by James J. Bohning, Cambridge, MA, November-December 1985, Center for Oral History, Science History Institute (https://oh.sciencehistory.org/oral-histories/hottel-hoyt-c)를 기반으로 했다.

윌리엄 폰 에거스 도링에 대한 인용은 William von Eggers Doering, interview by James J. Bohning, Philadelphia, PA, and Cambridge, MA, November 1990, May 1991, Center for Oral History, Science History Institute (https://oh.sciencehistory.org/oral-histories/doering-william-von-eggers)를 기반으로 했다.

루이스 피저에 대한 인용은 Louis F. Fieser, *The Scientific Method: A Personal Account of Unusual Projects in War and in Peace* (New York: Reinhold, 1964)를 바

탕으로 했다.

네이팜의 탄생에 대한 더 많은 정보는 Robert M. Neer, *Napalm: An American Biography* (Cambridge, MA: Belknap Press, 2015)를 참조하라.

1   Charles L. McNichols, Clayton D. Carus, "One Way to Cripple Japan: The Inflammable Cities of Osaka Bay", *Harper's Magazine* 185, no. 1105 (June 1942): 33.

더그웨이에서 수행한 실험에 대한 보다 자세한 정보는 Standard Oil Development Company, "Design and Construction of Typical German and Japanese Test Structures at Dugway Proving Ground, Utah" (1943) (https://drive.google.com/file/d/1eiqYwvJNSY-ZpUsNQozwBISyQv_z4Uzb/view)를 참조하라.

소이무기에 대한 NDRC 분석에 대해서는 National Defense Research Committee, *Summary Technical Report of Division 11*, vol. 3, *Fire Warfare: Incendiaries and Flame Throwers* (Washington, DC, 1946) (https://www.japanairraids.org/?page_id=1095)를 참조하라.

2   *M69 Incendiary Bomb*, Department of Defense combat bulletin no. 48, PIN 20311, 1945 (https://www.youtube.com/watch?v=uPteVZyF4U0)

3, 4   몽고메리 소장과의 인터뷰 녹취, Los Angeles, CA, August 8, 1974, Clark Special Collections Branch, McDermott Library, US Air Force Academy, Colorado Springs, CO.

5   Charles Griffith, *The Quest: Haywood Hansell and American Strategic Bombing in World War II* (Montgomery, AL: Air University Press, 1999), 182.

6   William W. Ralph, "Improvised Destruction: Arnold, LeMay, and the Firebombing of Japan", *War in History 13*, no. 4 (2006): 517, doi:10.1177/0968344506069971.

8장　D-데이: 제2차 세계대전의 가장 어두운 밤

이번 장과 다른 곳에서 인용한 주요 자료 대부분은 캘리포니아대학교 어바인 캠퍼스University of California at Irvine의 동아시아역사학과 조교수 데이비드 페드먼과 캐리 케라커스Cary Karacas가 운영하는 2개 국어로 된 역사기록보관소 Japan Air Raids (https://www.japanairraids.org/)에서 찾을 수 있다.

1　Curtis E. LeMay, MacKinlay Kantor, *Mission with LeMay: My Story* (New York: Doubleday, 1965), 13~14, 351.

2　David Braden, interview by Alfred F. Hurley, Dallas, TX, February 4, 2005, University of North Texas Library, Denton, TX (https://digital.library.unt.edu/ark:/67531/metadc306702/?q=david%20braden)

3　Haywood Hansell, the United States Air Force Academy 강연, April 19, 1967, Clark Special Collections Branch, McDermott Library, United States Air Force Academy, Colorado Springs, CO.

이번 장의 커티스 르메이에 대한 인용은 다른 언급이 없는 한 커티스 르메이의 회고: 구술사, 1971 (Air Force Academy Project, Columbia Center for Oral History, Columbia University Libraries, New York, NY)을 바탕으로 했다.

4　*First U.S. Raid on Germany*, Reuters, British Pathé newsreel, 1943 (https://www.youtube.com/watch?v=YgO6DX_9zOl)

5　커티스 르메이 구술사 인터뷰, March 1965, Air Force Historical Research Agency, Montgomery, AL.

6　Emily Newburger, "Call to Arms," *Harvard Law Today*, October 1, 2001 (https://today.law.harvard.edu/feature/call-arms/)

클레어 매켈웨이에 대한 인용은 St. Clair McKelway, "A Reporter with the

B-29s: III—The Cigar, the Three Wings, and the Low-Level Attacks", *The New Yorker*, June 23, 1945, 26~39를 바탕으로 했다.

7   커티스 르메이가 헬렌 르메이에게 보낸 편지, March 12, 1945, Benjamin Paul Hegi, *From Wright Field, Ohio, to Hokkaido, Japan: General Curtis E. LeMay's Letters to His Wife Helen*, 1941~1945 (Denton, TX: University of North Texas Libraries, 2015), 330.

8   Curtis E. LeMay, MacKinlay Kantor, *Mission with LeMay: My Story* (New York: Doubleday, 1965), 13~14, 351.

9   Jane LeMay Lodge, interview by Barbara W. Sommer, San Juan Capistrano, CA, September 10, 1998, Nebraska State Historical Society (http://d1vmz9r13e2j4x.cloudfront.net/nebstudies/0904_0302jane.pdf)

10   George Slatyer Barrett, *The Temptation of Christ* (Edinburgh: Macniven & Wallace, 1883), 48.

11   커티스 르메이 구술사 인터뷰, March 1965, Air Force Historical Research Agency, Montgomery, AL.

도쿄 폭격(1945년 3월 10일)의 영향에 대한 정보는 R. Cargill Hall, ed., *Case Studies in Strategic Bombardment* (Washington, DC: Air Force History and Museums Program, 1998), 319 (https://media.defense.gov/2010/Oct/12/2001330115/-1/-1/0/AFD-101012-036.pdf)를 참조하라.

12   David Fedman, "Mapping Armageddon: The Cartography of Ruin in Occupied Japan", *The Portolan* 92 (Spring 2015): 16.

13   United States Strategic Bombing Survey, *A Report on Physical Damage in Japan*, June 1947, 95 (https://dl.ndl.go.jp/info:ndljp/pid/8822320)

14 David Braden, interview by Alfred F. Hurley, Dallas, TX, February 4, 2005, University of North Texas Library, Denton, TX (https://digital. library.unt.edu/ark:/67531/metadc306702/?q=david%20braden)

9장 재검토: 과연 옳은 선택이었을까?

1945년 봄 르메이의 일본 폭격에 대한 정보는 C. Peter Chen, "Bombing of Tokyo and Other Cities: 19 Feb 1945 – 10 Aug 1945", World War II Database (https://ww2db.com/battle_spec.php?battle_id=217)를 참조하라.

1 Curtis E. LeMay, MacKinlay Kantor, *Mission with LeMay: My Story* (New York: Doubleday, 1965), 388.

이번 장의 커티스 르메이에 대한 인용은 다른 언급이 없는 한 커티스 르메이의 회고: 구술사, 1971 (Air Force Academy Project, Columbia Center for Oral History, Columbia University Libraries, New York, NY)을 바탕으로 했다.

2 스틸웰의 일기, September 1, 1945, Jon Thares Davidann, *The Limits of Westernization: American and East Asian Intellectuals Create Modernity*, 1860 – 1960 (New York: Taylor & Francis, 2019), 208에 인용.

3 Ronald Schaffer, *Wings of Judgment: American Bombing in World War II* (Oxford, UK: Oxford University Press, 1985), 180.

4, 5 Mark Selden, "A Forgotten Holocaust: US Bombing Strategy, the Destruction of Japanese Cities, and the American Way of War from World War II to Iraq", *Asia-Pacific Journal: Japan Focus* 5, no. 5 (May 2, 2007), (https://apjjf.org/–Mark–Selden/2414/article.html)

6 Erik Slavin, "When the President Said Yes to the Bomb: Truman's Diaries Reveal No Hesitation, Some Regret", *Stars and Stripes*,

August 5, 2015.

7   William W. Ralph, "Improvised Destruction: Arnold, LeMay, and the Firebombing of Japan", *War in History* 13, no. 4 (2006): 517, doi:10.1177/0968344506069971.

8   Robert Trumbull, "Honor to LeMay by Japan Stirs ParliamentDebate", *New York Times*, December 8, 1964 (https://timesmachine.nytimes.com/timesmachine/1964/12/08/99401959.html?pageNumber=15)

조지 마셜과 어니스트 킹 사이의 논쟁에 대한 정보는 Richard B. Frank, "No Recipe for Victory", National WWII Museum, August 3, 2020 (https://www.nationalww2museum.org/war/articles/victory-in-japan-army-navy-1945)을 바탕으로 했다.

9   Warren Kozak, *LeMay: The Life and Wars of General Curtis LeMay* (Washington, DC: Regnery Publishing, 2009), 341.

10장 다시 핸셀 vs. 르메이: 양심과 의지

소이무기를 금지하는 UN 의정서에 대한 정보는 "Protocol III to the Convention on Prohibitions or Restrictions on the Use of Certain Conventional Weapons Which May Be Deemed to Be Excessively Injurious or to Have Indiscriminate Effects", United Nations Office for Disarmament Affairs Treaties Database (http://disarmament.un.org/treaties/t/ccwc_p3/text)를 바탕으로 했다.

찾아보기

어떤 선택의 재검토

어떤 선택의 재검토

THE
BOMBER
MAFIA